Cómo superar
la ansiedad y la depresión

Amat *editorial*

Si desea recibir información gratuita
sobre nuestras publicaciones, suscríbase en:

www.amateditorial.com

Travessera de Gràcia 18-20, 6º 2ª
08021 - Barcelona
Tel. 93 410 97 93
e-mail: info@profiteditorial.com

Dr. Joseph J. Luciani

Cómo superar
la ansiedad y la depresión

Qué hacer cuando su vida se descontrola

Amat
editorial

La edición original de esta obra ha sido publicada en lengua inglesa por John Wiley & Sons, INC., New York.

Título original: *Self-Coaching. How to heal anxiety and depression*
Autor: *Joseph J. Luciani, Ph.D.*
Traducido por: *Esther Gil*

© Joseph J. Luciani, 2001
y para la edición en lengua española
© Editorial Amat, 2010 (www.amateditorial.com)
   Profit Editorial I., S.L., Barcelona, 2010

Diseño cubierta: *XicArt*
Fotocomposición: gama, sl

ISBN: 978-84-9735-375-5
Déposito legal: B. 41.704-2010
Impreso por Liberdúplex

Impreso en España - *Printed in Spain*

Dedicado a mi mujer Karen,
a mi hijo Justin
y a mi hija Lauren,
que son mi razón de ser.

Índice

Introducción

Joe siempre recordaba estar preocupado por algo. Cuando era pequeño y tenía sólo cinco o seis años le preocupaba mucho la idea de que sus padres muriesen. Al ser hijo único, no se podía imaginar vivir sin ellos. El colegio también le preocupaba. ¿Qué ocurriría si se metía en líos o si no sacaba buenas notas? Había cosas, como la muerte de sus padres, que no podía controlar, pero otras, como ir bien en el colegio, las podía controlar.

Al menos eso es lo que él pensaba hasta que cumplió 11 años. Una mañana, su profesor vio que Joe estaba escondido debajo del pupitre y le ordenó que levantase la cabeza. Le pillaron desprevenido y, al oír las risas de sus compañeros, se sintió ofendido. Entonces le entró miedo porque si levantaba la cabeza tal y como le había indicado el profesor los otros niños verían que estaba llorando. Así que Joe no hizo nada. Se quedó petrificado.

El profesor se acercó hasta su pupitre y le levantó la cabeza, sin darse cuenta de que Joe se había mordido la lengua con la mandíbula y le salía sangre de la boca. Al ver la sangre, el profesor perdió el control y le arrastró violentamente fuera de la clase, rasgándole la camisa, gritándole y abofeteándole por el camino.

En medio de un ataque de pánico, Joe se alejó corriendo del edificio. Le parecía que era el fin del mundo y que su peor pesadilla se había hecho realidad. Estaba seguro de que su profesor quería matarle, sus compañeros le habían visto llorando y sus padres seguramente se enfadarían por su conducta (al fin y al cabo se trataba de la década de los cincuenta y entonces el colegio era la máxima autoridad para los padres). Era la hora del almuerzo, Joe fue corriendo a casa y se metió en su cuarto sin que nadie se diese cuenta. Se quitó la camisa rasgada, se limpió la sangre y se peinó con la idea de volver al colegio como si nada hubiese pasado, pero su primo, que también iba a la misma clase que Joe, llegó llorando a su casa.

Aunque Joe no recuerda bien lo que pasó a continuación, sí sabe que sus padres estaban preocupados y que su padre estaba tan enojado que le tuvieron que impedir físicamente que fuese al colegio. Al cabo de un día o dos, cuando Joe volvió al colegio, se dio cuenta de que había otro profesor. A Joe le dio igual que le dijesen que el profesor «había explotado» y que necesitaba ayuda. A él le parecía que todo era culpa suya y le costaba vivir con esa gran carga.

Joe, que ya era un niño sensible y preocupadizo de por sí, se prometió estar aún más alerta y tener más control de las situaciones para que no le cogiesen nunca más desprevenido. Por desgracia, Joe no pensó ni un momento que no había nada de malo en lo que había hecho y nadie se lo dejó claro.

Joe estuvo pensando y reflexionando durante mucho tiempo. Sabía que no era perfecto y que no tenía que *ser* perfecto porque bastaba con *actuar* como si lo fuese. Aunque en el pasado había sido un poco delicado y debilucho, ahora las cosas tenían que ser diferentes. En el pasado le «gustaba» hacer las cosas bien, pero ahora no tenía elección: ¡*Tenía* que hacer las cosas bien! Si, por ejemplo, tenía que hacer un avión en miniatura y echaba demasiado pegamento, ya no podía seguir porque lo había estropeado. Si tenía que hacer alguna corrección en un ejercicio de matemáticas, en vez de borrar la respuesta errónea y escribir encima la correcta, lo volvía a escribir todo de nuevo. La perfección se convirtió en su escudo contra la vulnerabilidad.

Tuvo que pasar bastante tiempo hasta que se sintió cómodo socialmente porque no podía olvidarse de que le habían visto en un momento de debilidad. Así, Joe fue desarrollando poco a poco un agudo sentido de lo que requería cada intercambio social y siempre sabía actuar bien. Podía ser entretenido, gracioso, interesante o serio, según la situación. Se convirtió en un camaleón, en un camaleón perfectamente camuflado. Un profesor le decía orgulloso: «eres un buen soldadito». No había lugar a dudas, Joe además de saber seguir órdenes se anticipaba a ellas.

A pesar de todo este nuevo éxito, la autoestima de Joe nunca hizo sólidas raíces. De hecho, cuanto más éxito tenía, más convencido estaba de que tenía que esforzarse para mantener toda esta fachada porque tenía mucho que esconder. Todo el mundo pensaba que era un «tío muy guay» y saber la verdad podría ser una revelación muy traumática. Estaba atemorizado, siempre mirando hacia atrás, preguntándose si algo podría salir mal.

No era fácil para Joe y ahora, querido lector, debería saber que yo soy aquel Joe.

Encontrar la respuesta

Viví aquellos años de mi infancia luchando y esforzándome por controlar siempre mi vida. Nunca se me ocurrió preguntarme por qué necesitaba controlarlo todo, pero era así. Cuando empecé el instituto ya era un manipulador veterano. Me apunté al equipo de fútbol americano para que los chicos pensasen que era un tipo duro, pero con menos de 50 kilos, me moría de miedo. Me apuntaba a muchos deportes, me eligieron delegado de curso y al final fui el más popular de la clase. Sabía cómo conseguir lo que la gente quería.

Sin duda, podía controlar cómo me percibía la gente, pero nunca pensé que tuviese otra elección. Le tenía que gustar a todo el mundo. En aquella época, tenía sentido: «gústale a la gente y no te hará daño». Empecé a sentirme como las casas de las películas, que sólo tienen una fachada de dos dimensiones para que a la audiencia le parezcan reales. Me convertí en eso: en un espejismo, en una casa sin interior.

Cuando empecé la universidad, ya estaba harto. Mi vida se había convertido en un tormento y quería respirar un poco. Todos esos «deberes», «obligaciones», «preocupaciones» me estaban volviendo loco. Me preocupaba por todo: las notas, las citas, el dinero, todo, pero, en especial, me preocupaba perder el control, fastidiarlo todo, meterme en líos, empezar cualquier situación en la que flotase a merced del destino.

Decidí estudiar psicología. ¡No se rían! El tormento psicológico le convierte a uno en un buen terapeuta. Una vez escuché hablar de este fenómeno como la teoría del curador herido, pero tengo que admitir que mi principal motivo era ayudarme a mí mismo. Estaba desesperado, ansioso y deprimido, y estudiar psicología parecía ser el pedal de freno que estaba buscando. Quizás, sólo quizás, fuese una salida.

Autopreparación: abrir la mano

Mis estudios de psicología, así como los años que pasé en prácticas tanto en grupos de análisis como de forma individual, fueron muy útiles, pero mis manos seguían aferradas al volante de la vida. Me seguía preocupando y martirizándome y de vez en cuando me decía a mí mismo: «¡Basta ya!»; deseaba encontrar una salida.

No tuve que esperar mucho, puesto que poco después, una noche, cuando volvía a casa después del trabajo, me vino una idea a la cabeza: «¡No tengo ninguna razón para estar triste!», y algo muy revelador sucedió en aquel instante. Es difícil expresar la magnitud de aquel momento inocente y esencial, pero para mí fue una revolución en mi forma de pensar. ¡No había *nada* que impidiese que me sintiese mejor! No me preocupaba *nada* excepto mi forma de pensar. Me di cuenta de que podía elegir *no* estar triste. Por último, albergué en mi mente ese pensamiento que tanto había esperado y supe que, incluso el peor de los humores, si se acompaña de un cambio positivo de actitud, puede desvanecerse enseguida.

Siempre había considerado que los sentimientos, los estados anímicos y los pensamientos estaban profundamente arraigados en el inconsciente. ¿Sería posible que sentirse bien fuese tan fácil como dejar que saliese todo lo negativo o abrir la mano? Un día, cuando me iban a sacar una muela, tuve una revelación interesante. Si bien sabía que el proceso me podía causar un poco de dolor, estaba sorprendido porque no sentía ansiedad por la intervención. Entonces descubrí que el óxido nitroso me hacía olvidar. Una sacudida de dolor centraba mi atención, causando una gran ansiedad, pero enseguida me sentía completamente relajado, lejos de ese momento doloroso inicial. Por el contrario, mi pensamiento de no haber estado influenciado por el óxido nitroso hubiese sido lo contrario:

Sacudida de dolor → tensión → anticipación a más dolor → preocupación → ansiedad

¿Y si pudiese aprender a deshacerme de la preocupación innecesaria y la anticipación de todo lo negativo sin la ayuda del óxido nitroso ni de drogas? ¿Y si pudiese cambiar esa sucesión de pensamientos angustiosos por unos más saludables y constructivos? ¿Qué ocurriría entonces con mi ansiedad, con mi depresión? Se esfumarían. Al igual que los efectos anestésicos del óxido nitroso nos alejan de la ansiedad y la preocupación de, por ejemplo, una intervención dental, la Autopreparación puede alejarle de los pensamientos que le atormentan. Aún más, una vez haya aprendido a guiar su liberación de la inseguridad, habrá vencido la ansiedad y la depresión.

No tiene por qué ser complicado

En los más de veinte años de experiencia que poseo en consulta privada, impartiendo clases y escribiendo libros, siempre he sabido que mis pensamientos no servían para nada a menos que contase con los medios adecuados para compartir ese pensamiento con los demás. Personalmente, mi terapia tradicional había tomado un cariz complejo y anticuado, pese a que muchos pacientes seguían sintiéndose reconfortados con una terapia tradicional en la que el terapeuta lo sabe todo. A menudo oigo a mis pacientes decir: «Usted es el terapeuta, dígame, ¿qué me ocurre? ¿Qué debería hacer?». Mis pacientes esperaban y exigían a veces que no les decepcionase siendo un simple mortal.

Bret, un profesor jubilado de instituto, acudió a mí descontento con los años que había pasado realizando análisis tradicional. No es que estuviese descontento con el Dr. Fulanito, sino que no parecía mejorar. Bret sentía un gran respeto por el Dr. Fulanito y se sentía avergonzado por ser un mal paciente, ya que no podía comprender por qué no se había beneficiado del análisis. Si su terapeuta no se hubiese jubilado, Bret estaba seguro que habría encontrado una respuesta.

Al principio, dijese lo que dijese, lo único que Bret quería saber era cómo se relacionaban sus problemas con su complejo de Edipo y con sus instintos libinales reprimidos. Estaba convencido de que sus problemas se podrían explicar mediante alguna teoría arcana. Después de todo, sus problemas no eran sencillos. Sus tormentos eran dignos de maestros, como Freud o Jung (y, por supuesto, el Dr. Fulanito). El enfoque de solventar los problemas que yo le presentaba le parecía demasiado simple.

Le pregunté a Bret si había oído hablar de William de Occam, el filósofo inglés. Bret contestó con una negativa, pero estaba contento de que por fin hablase de uno de los grandes maestros. Le expliqué que Sir William postulaba la ley de la parsimonia y la sencillez. Le dije a Bret que el gran filósofo afirmaba que deberíamos preferir las explicaciones más simples para una circunstancia determinada.

Quería que Bret supiese que el complicar las cosas, tanto en el caso del paciente como del terapeuta, suele deberse sólo a cuestiones de vanidad. La única razón por la que Bret se resistía a mis explicaciones era porque quería que sus problemas se saliesen de lo común.

Bret no es único. Todos tenemos ideas parecidas sobre por qué sufrimos y qué necesitamos para sentirnos mejor. Quizás la autoayuda no suene tan emocionante como *psicoanálisis, terapia analítica* o *análisis transaccional*. De hecho, la autoayuda no parece un enfoque psicológico para muchas personas. En el capítulo 1 ofreceré una explicación más fundamentada y formal, pero, por ahora, me limitaré a decir: aparte las viejas ideas. Después ya me encargaré de probar que hay una forma directa y simple para combatir la ansiedad y la depresión. Mi camino no es el de la psicología tradicional, sino que es más directo y utiliza herramientas psicológicas útiles y prácticas combinadas con estrategias de ayuda y motivación.

Seguro que Sir William de Occam estaría de acuerdo en que si quiere liberarse de la ansiedad y la depresión hay que elegir la forma más fácil y sencilla. Esa forma es la Autopreparación. Además, una vez se haya deshecho de la ansiedad y la depresión, puede utilizar la Autopreparación para mantener una vida saludable y natural. Una vez se obtiene la forma (psicológica) deseada, nunca más querrá volver a la forma anterior.

Primera parte

¿Qué es la Autopreparación?

1

Una nueva autoterapia

¿Por qué está leyendo este libro? Quizás se preocupe demasiado por todo o quizás últimamente haya estado luchando contra sentimientos de pánico y descontrol que le dejan frustrado y ansioso. Quizás está siempre a la defensiva con los demás o quizás no disfruta del sueño como lo solía hacer y siempre está de mal humor. Quizás esté deprimido, cansado, desanimado o abatido. Hay veces que sentimos que queremos abandonarlo todo.

Puede que se sienta confundido, pero hay algo de lo que está seguro. Se supone que la vida no es tan dura, así que quiere respuestas ¡ahora! Lo que menos desea en estos momentos es perder el tiempo.

Entonces, pongámonos manos a la obra. El siguiente cuestionario le mostrará cómo puede beneficiarse del libro.

¿Me irá bien la Autopreparación?

Identifique cada frase como básicamente verdadera o falsa:

V   F   Suelo empezar mis pensamientos con «y si...».

V   F   Normalmente veo el vaso medio vacío.

V   F   Me preocupo demasiado.

V   F   A menudo estoy cansado.

V   F   Tengo dificultades para concentrarme.

V   F   Tengo problemas para entregar los encargos a tiempo.

V   F   Me preocupo por mi salud.

V   F   Muchas veces creo que estoy al límite.

V   F   Suelo estar triste.

V   F   Me cuesta conciliar el sueño.

V   F   Me cuesta confiar en mis percepciones (por ejemplo, ¿cerré aquella puerta? ¿He hablado demasiado?).

V   F   Dudo mucho.

V   F   Soy bastante inseguro.

V   F   Me despierto demasiado temprano.

V   F   Mi peor momento del día son las mañanas.

V   F   Me aterra que las cosas vayan mal.

V   F   Me preocupa mucho mi apariencia.

V   F   Tengo que hacer las cosas a mi manera.

V   F   No me puedo relajar.

V   F   Nunca llego a la hora.

V   F   Nunca me siento completamente seguro.

V   F   Exagero los problemas.

V   F   Siento pánico.

V   F   Me siento más seguro cuando estoy en la cama.

V   F   Soy demasiado sensible.

V   F   A veces deseo estar en otra parte.

V   F   Tengo miedo a hacerme mayor.

V   F   La vida es un problema tras otro.

V   F   No tengo demasiadas esperanzas de encontrarme mejor conmigo mismo.

V   F   Siempre estoy inquieto.

V   F   Suelo ser agresivo conduciendo.

V   F   Padezco fobias (por ejemplo, claustrofobia, miedo a los puentes, al aire libre, a los encuentros sociales).

Cuente el número de respuestas «verdaderas». Un marcador de 12 o menos sugiere que es una persona relativamente equilibrada y la Autopreparación le enseñará a controlar esos vaivenes de la vida. Puede esperar que su eficiencia personal y social mejore a medida que tropiece menos con los obstáculos emocionales. Esencialmente, puede esperar mejorar su ya sana personalidad y beneficiarse de una visión más dinámica de la vida.

Un marcador entre 13 y 22 sugiere que padece un grado moderado de erosión de personalidad. La Autopreparación le podrá enseñar rápida y fácilmente a sobrepasar los efectos limitadores de la ansiedad y la depresión y conseguir una vida más natural y vital.

Si su marcador supera las 22 respuestas «verdaderas», quiere decir que tiene serias dificultades con la ansiedad y/o la depresión. Para usted, la Autopreparación tiene que pasar a ser una prioridad. Con paciencia y práctica podrá aprender a vivir sin esos síntomas negativos.

Soy consciente de que se siente asediado, así que no espero convencerle enseguida. Por ahora, basta con reconocer que a pesar de la ansiedad o la depresión que padezca, está consiguiendo leer estas palabras. Algo le impulsa a hacerlo y ese algo es la parte sana de su personalidad, que sigue intentando resolver ese misterio en el que se ha convertido su vida, y la Autopreparación se propone llegar precisamente hasta esa sana parte de usted.

El programa de Autopreparación

Para escribir este libro he necesitado veintitrés años de trabajo como psicólogo. Eso no quiere decir que sea un vago o que sea muy lento (nada de eso), sino que se necesita mucho, mucho tiempo para poder ver a través de la niebla que rodea la ansiedad y la depresión. Lo interesante es que, una vez se entiende la naturaleza de las percepciones defectuosas, la ansiedad y la depresión empiezan a cobrar sentido. Aunque los síntomas que presente le parezcan irracionales, cuando aprende a descifrarlo, el misterio se desvanece. Puede verlo claro. Esta nueva percepción fue el catalizador de una nueva forma de terapia que desarrollé para enseñar a los pacientes qué podía hacer para hacerles sentirse mejor (no me gusta el término «paciente», pero «cliente» aún me gusta menos, así que utilizaré «paciente» a lo largo del libro). Personalmente considero este método, que denomino Autopreparación (Auto con A en mayúscula), mi logro más significativo.

Los síntomas de la ansiedad y la depresión son parte de la vida cotidiana. Estar tenso si se llega tarde a una cita o sentirse afectado emocionalmente tras una discusión con un amigo son partes ineludibles de la vida. El problema se presenta cuando la ansiedad y la depresión progresan más allá de las circunstancias inmediatas de la vida, de forma que esos sentimientos están presentes durante días, semanas o meses.

Como psicólogo, el talento que valoro más es la intuición. La intuición es la capacidad que, tal y como Carl Gustav Jung dijo una vez, te permite ver lo que hay detrás de las esquinas. A diferencia del intelecto, la intuición es menos deliberada, puesto que sencillamente ocurre. En cuanto a la psicología, las intuiciones más fuertes son tan importantes como lo es un telescopio para un astrónomo. Al igual que la superficie de la luna se presenta como cráteres en relieve bajo la lupa de un telescopio, la intuición puede empezar a revelar los aspectos ocultos de la ansiedad o la depresión.

Cuando logré ampliar mi visión sobre la ansiedad y la depresión, me di cuenta de que reaccionaba ante mis pacientes de forma distinta. En vez de tratarles en la forma pasiva tradicional, respondía ante ellos de una forma más espiritual y activa. No se trataba de una estrategia consciente o deliberada, sino que sencillamente había dejado que la intuición me guiase. Con los pacientes deprimidos, por poner un ejemplo, vi que estaban perdiendo la energía vital necesaria para combatir sus dificultades. Utilizar mi energía, mi optimismo y mi entusiasmo moldearía la actitud necesaria para conquistar lo negativo, la desesperación y la inercia. En suma, estaba reflejando lo que creía que faltaba en mis pacientes.

Con los pacientes ansiosos, también me dejé guiar por mi intuición. En ese caso, me convertí en la voz de la valentía y la convicción. Les alenté a ser valientes y arriesgarse desafiando los miedos y las preocupaciones vitales. Las personas propensas a la ansiedad necesitan saltar el obstáculo de la duda propia para crear confianza en sí mismos.

Podría decirse que tanto la ansiedad como la depresión son malas hierbas que crecen de la tierra fértil de la inseguridad. Por eso, me convertí en un modelo «puedo hacerlo», ya que sin la confianza interior todo se transforma en una lucha.

Me di cuenta de que mi nuevo enfoque divergía notablemente de los métodos terapéuticos tradicionales que solía emplear, pero no sabía precisar qué estaba haciendo. Un día, mientras estaba trabajando con un hombre joven que combatía la ansiedad y los ataques de pánico, me oí a mí mismo decirle: «Me estás mirando porque quieres que haga desaparecer tu ansiedad. No puedo hacerlo por ti. Piensa en mí como en tu guía más que en tu psicólogo». Entonces lo comprendí, estaba *orientando* a las personas, no las estaba analizando, ni las estaba escuchando pasivamente ni tampoco estaba reflexionando. Estaba guiando al paciente hacia la fuerza, la seguridad y el sentido de poder. Mi paciente enseguida entendió este simple concepto y en vez de observarme como la autoridad curadora, comprendió mi nuevo papel revitalizado; estaba guiando *sus* esfuerzos, *su* determinación y, sobre todo, *su* necesidad de combatir la ansiedad y la depresión.

Este avance entre mi paciente y yo me convenció de que afrontar los problemas como orientador en lugar de terapeuta tendría unas implicaciones mayores. Al guiarles hacia la actitud de curación que les faltaba y utilizar una técnica para sentirse a salvo de los fracasos, que denomino Autocharla, eran capaces de frenar la ansiedad y la depresión desde donde surgió, en los sentimientos que precedían y abonaban esa circunstancia. La *Autocharla* es un método para reemplazar el pensamiento deformado y destructivo por un pensamiento sano y liberador. Este método lo denominé «Imaginación dirigida».

Da igual si está haciendo ejercicio para perder unos kilos, para mejorar su forma física caminando o para prepararse como atleta profesional para una gran carrera, ya que un entrenamiento efectivo siempre requiere seguir un programa de repetición y esfuerzo progresivo. El entrenamiento psicológico es igual, ya que requiere repetición y esfuerzo progresivo. La Autocharla se convertirá en el eje de su programa de entrenamiento y necesitará un tipo de compromiso similar porque no existe magia, ni regalos, ni abracadabra que resulte. Sólo el trabajo duro da sus frutos.

Mientras iba desarrollando mi programa, me di cuenta de que el concepto de entrenamiento era muy atractivo para mis motivados pacientes con tendencia a la ansiedad. Normalmente luchan con el tradicional enfoque terapéutico pasivo, sobre todo cuando no ven los resultados. Un programa de entrenamiento bien pensado era sin duda algo a lo que podían aferrarse y que les podía ayudar.

La gente que padece depresión se enfrenta a un reto muy diferente. La depresión hace que sea difícil tener energía para hacer algo. ¿Cómo podía convencer a los pacientes deprimidos para seguir un entrenamiento? La depresión es como conducir un coche con un pie en el gas (por ejemplo los deseos sanos) y otro en el freno (por ejemplo, las distorsiones negativas), así que la persona se siente siempre frustrada, atrapada y desalentada. Sabía que para que mi método tuviese éxito el programa de entrenamiento tenía que ofrecer una liberación de los efectos de freno de la depresión, y eso es exactamente lo que ocurrió. Al sustituir los pensamientos negativos por un pensamiento más objetivo y real, la Autocharla, en combinación con una actitud orientada de optimismo, marcó la diferencia. Cuando los pacientes veían que avanzaban, la motivación necesaria para seguir con el entrenamiento dejó de ser un problema.

Este enfoque de entrenamiento y terapia también explica por qué los resultados no se deben tanto a la información terapéutica y las experiencias, sino al trabajo cotidiano utilizando la Autocharla. Si entra en un gimnasio y espera que estar diez minutos en la cinta elástica le elimine cinco centímetros de cintura, no me extraña que se sienta desanimado. Por el contrario, ¿qué ocurriría si tuviese una visión más real de la cinta elástica combinada con un verdadero deseo de empezar un entrenamiento? En primer lugar se daría cuenta de que una sesión de cinta elástica es sólo eso, una sesión. Sólo si repite el entrenamiento sucesivamente a lo largo del tiempo empezará a cosechar los beneficios acumulados de sus esfuerzos, pero no se preocupe porque los beneficios llegarán. Ya sea en el gimnasio o en la terapia, un enfoque de entrenamiento requiere y enseña tres aspectos esenciales:

1. Paciencia.

2. Comprensión real del proceso de cambio.

3. Confianza en uno mismo.

Este programa de orientación/entrenamiento utilizando la técnica de la Autocharla para romper las pautas de pensamiento destructivo se convirtió en el corazón y el alma del libro que tiene en sus manos (con alguna que otra modificación). En vez de observarme como su entrenador, usted aprende a ser su propio entrenador, dirigiendo su propia liberación. Tiene que comprender que el potencial para curarse, para curarse de verdad, siempre está en usted. Recuerde que ni siquiera el mejor psicólogo del mundo puede hacerle mejorar. Nadie puede. Todo depende de usted y la Autopreparación le enseñará cómo.

Convertirse en su propio entrenador

Al darme cuenta de lo rápido y de la facilidad con la que mis pacientes respondían a la orientación, me pregunté si este método sería efectivo en un formato de Autoayuda. ¿Lo que hacía con mis pacientes podría ser presentado en un libro? Si no hubiese sido por una prima que me preguntó qué podía hacer para mejorar su ansiedad, quizás nunca hubiese considerado esta posibilidad. Le hablé de mi técnica de Autocharla y le di una serie de dossiers que había preparado para mis pacientes donde se describían algunas estrategias y ejercicios simples. Cuando me llamó al cabo de unos meses diciéndome que había desaparecido la ansiedad, me convencí de que la orientación, de hecho, podía hacer la transición hacia la Autopreparación. No tardé demasiado en tomar mi decisión final de empezar a escribir, pero lo que acabó de convencerme no fue que funcionase con mi prima.

Pienso que puedo, pensaba que podía

Cuando tenía treinta y pico largos sentía una inexplicable necesidad de correr la maratón de Nueva York. No sabría explicar por qué quería correr. Quizás lo quería hacer porque parecía imposible (¡más de 40 km!) o quizás quería saber si me gustaría. Sea cual sea la razón, el caso es que decidí intentarlo. No me detuve demasiado en el entrenamiento porque durante años había corrido un par de kilómetros al día y no pensaba que hubiese ningún problema porque sólo se trataba de correr más y mayor distancia.

Seis meses después:

Las primeras horas de la maratón fueron fantásticas. Saludaba a los niños mientras pasaba por la cuarta avenida de Brooklyn, disfrutaba con la multitud, sentía la adrenalina y la carrera. ¿Por qué no lo había hecho antes? Sin embargo, a la tercera hora, cuando ya había corrido la mitad del recorrido, cuando iba atravesando Queens y había dejado de saludar hacía rato, empecé a sentirme agotado. Cuando llevaba cuatro horas corriendo, el Bronx empezó a desvanecerse mientras yo me centraba únicamente en mis heridas y llagas. El agotamiento que había empezado a sentir desde hacía 16 km era ya insostenible en la quinta hora, mientras entraba en Central Park. Mi mente empleó un truco de supervivencia y sentí un calambre y un gran dolor. De todas formas, no sé muy bien cómo, aguanté y terminé la carrera cinco horas y veinte minutos después de haber empezado. Al final de la carrera arrastraba los pies, intentando no pensar en las tres horas anteriores.

Después de varios meses de recuperación (en los que juré no pensar siquiera en participar en otra carrera), empecé a hablar con un amigo que había corrido la misma maratón a un ritmo mucho más respetable. No se podía creer que prácticamente no había entrenado. «¿Qué? ¿No te entrenaste subiendo montañas? ¿No hiciste carreras de velocidad?» Entonces me di cuenta de que había hecho una preparación penosa y de que algunas cosas en la vida no son lo que parecen, al menos al principio.

Pasaron unos cuantos meses más y entonces leí un libro escrito por entrenadores y gente experta en correr en maratones. El libro explicaba y analizaba los elementos de entrenamiento en un programa completo. En vez de mi decisión de no pensar nunca más en una maratón, cuando me di cuenta ya había devorado el libro. Empecé a entender por qué mis piernas se habían quedado agarrotadas, por qué me dio un calambre, por qué llegué prácticamente arrastrándome en la última parte de la carrera e incluso por qué me había hecho heridas en los pies. Aprendí que todos estos problemas podrían eliminarse con un entrenamiento adecuado. Con un buen programa, se podrían superar todos los obstáculos con los que me había topado. Lo que para mí había sido una experiencia humillante y caótica podría haber sido algo anticipado, descifrado, preparado y, sobre todo, conquistado. Me gustaba la idea y estaba dispuesto a poner a prueba mi método de Autopreparación.

Ahora puedo decir que ya he corrido tres maratones y que me estoy entrenando para la cuarta. Cada vez hago mejores tiempos y la diferencia no es de minutos, sino de horas. Podríamos decir que he aprendido mucho sobre el entrenamiento, y mis experiencias de autopreparación en las maratones resultaron ser pruebas valiosísimas, y a partir de ahí consideré trasladar mi experiencia de entrenamiento a mi terapia con pacientes.

Tanto si usted es una persona con ansiedad o con depresión, la Autopreparación puede enseñarle lo necesario para eliminar sus problemas. Nuestra mente y nuestro cuerpo se deterioran si dejamos que sigan unas pautas destructivas. Eso es lo que son la ansiedad y la depresión. No son más que hábitos repetidos negativos y destructores. La Autoorientación nos enseña dos cosas: (1) cómo romper las pautas destructivas que distorsionan el pensamiento y dejan a la persona vulnerable a la depresión y la ansiedad, y (2) cómo sustituir estos pensamientos por una forma de vida sana y adaptable.

Confianza en uno mismo

Existen ventajas obvias si se cuenta con un terapeuta personal, pero hay que tener en mente la ventaja clara de la Autopreparación: desde el principio sólo podrá confiar en usted mismo y tendrá que trabajar duro si quiere mejorar. Así es como deben ser las cosas. Créame: con la ansiedad y la depresión, es absolutamente crítico creer en sus propios recursos para curarse. Cuanto antes se haga responsable de su programa de curación, antes volverá a tener un vida sana. Por el contrario, cualquiera que insiste en buscar un gurú, un empuje, una pastilla o incluso un libro para sustituir sus esfuerzos acabará fracasando, porque nadie excepto usted puede derribar sus hábitos destructivos. Cuando busca a alguien para que le cure, para que cuide de usted, para que le ayude a mejorar, entonces, al igual que un niño, está desprovisto de todo el poder potencial de la madurez. Ese poder de la madurez personal es el que promueve la Autopreparación.

Al principio, confiar en usted mismo para conseguir lo que necesita puede parecerle un consejo desalentador, sobre todo si está deprimido. Entiendo perfectamente su punto de vista y he intentado anticipar su inercia. ¿Alguna vez ha intentado empujar un coche que se ha calado? Empuja con la espalda, haciendo esfuerzos con todos los músculos y sigue empujando y empujando hasta que empieza a notar un pequeño movimiento. Después ve que se mueve más, cada vez más rápido y con mayor facilidad. En ese caso también se enfrentó a la inercia. Los objetos en posición de descanso (también las personas, la ansiedad y la depresión) se resisten al movimiento. Sus esfuerzos iniciales serán los más difíciles, pero con el apoyo, la motivación y la dirección adecuados la inercia cederá ante el glorioso movimiento, un movimiento que en cuanto empiece se sucederá con facilidad.

Sugerencia para la preparación

Experiencia interior-experiencia exterior:
Aprender a quitarse ciertas ideas de la cabeza.

De forma periódica, a lo largo del día debería escuchar su «charla interior». Sean cuales sean sus pensamientos, por ahora, no los juzgue ni los critique, sencillamente sea consciente de ellos.

Cuando haya seguido el hilo del pensamiento durante unos minutos, pruebe a ver si puede desconectar de estos pensamientos participando en alguna actividad externa como escuchar música, mirar una flor, juguetear con las manos, etc. Sea lo que sea lo que intente, hágalo tan completo como pueda. Por poner un ejemplo, si decide fregar los platos, friéguelos poniendo toda su atención. Concéntrese en sentir el agua con jabón, en frotar el plato, en aclararlo y en secarlo con el trapo. En vez de pensar en lo que está haciendo, intente sentirlo. Intente desconectar el pensamiento y disfrutar de la experiencia.

Este ejercicio es un preludio importante para lograr la capacidad de aprender a apartar el pensamiento destructivo.

2

Los siete principios de la curación de la Autopreparación

El corazón y el alma de la curación de la Autopreparación pueden concentrarse en siete principios básicos. Aunque ya hemos echado un vistazo general a estas ideas en el capítulo 1, ahora que su entrenamiento se pone en marcha, podrá consolidarlas en principios específicos que respaldarán sus esfuerzos. Si los utiliza a diario, estas verdades serán más aparentes, pero, por ahora, que sólo estamos en la preparación, es importante que tenga fe en estos principios. Le recomiendo que los escriba en un papel y que los lleve en la cartera o en el monedero. De vez en cuando, lea la lista y permítase absorberlos y reflexionar sobre ellos. En cuanto los perciba y pueda recordarlos, estará listo para empezar la segunda parte: los problemas que puede curar la Autopreparación.

Principio 1: Todo el mundo tiene un legado de inseguridad, el Niño Inseguro

Crecer como seres humanos significa crecer con cierto grado de inseguridad. Es inevitable y los niños no están demasiado preparados para enfrentarse a esta inseguridad y aún menos para ver el lado positivo de esos primeros traumas, conflictos, malentendidos o pérdidas. Cuando los niños sienten que han perdido el control y que son vulnerables, acuden a cualquier estrategia que les ofrece alivio, como los berrinches, los quejidos, los lloros... lo que funcione. Estas son tácticas primitivas diseñadas para reducir la vulnerabilidad y recuperar más control.

Con el tiempo, las estrategias del niño se convierten en hábitos y la personalidad empieza a cobrar forma. Estos hábitos constituyen su pensamiento actual y, cuando se ven amenazados, se convierten en una reminiscencia primitiva de las primeras luchas. Con la práctica, podrá ir perfeccionando estas reacciones instintivas y atormentadas frente a la vida. Eso es lo que llamo la «voz» en cada uno de nosotros que arroja el miedo y el pánico del Niño Inseguro. Diferenciar la voz de su Niño Inseguro de la de su pensamiento saludable es el primer paso hacia una vida más madura, libre y saludable.

En el capítulo 3 presentaremos una técnica denominada Autocharla, que puede enseñarle a romper el hábito de escuchar las órdenes de su Niño Inseguro.

Principio 2: Los pensamientos preceden a los sentimientos, ansiedades y depresiones

La mayoría de las personas, cuando sienten ansia o depresión, creen que son las víctimas: «Me dijo que soy un imbécil y, claro, estoy deprimido. ¿Cómo no iba a estarlo?», «Ves, ahora ya me has hecho daño, ¿estás satisfecho?» o «¿Cómo has estado fuera hasta tan tarde? Estaba muy preocupado». Las víctimas creen que no tienen elección, que alguien o algo «hace» que siempre estén preocupados, infelices o temerosos. «¿Cómo no me voy a preocupar? ¡Con este trabajo que tengo tan inestable no tengo elección!»

A veces, cuando aparece un humor o una ansiedad sin una razón aparente, la persona se siente víctima del destino: «No estaba haciendo nada. Sólo estaba conduciendo hasta el trabajo y de repente me entró el ataque de pánico». Cuando uno se siente la víctima, nunca se le ocurre pensar que puede hacer algo para cambiar sus sentimientos.

Cuando somos conscientes de que los pensamientos preceden a los sentimientos, podemos entender por qué no somos impotentes. Hay algo que podemos hacer. Podemos cambiar la forma de pensar y descubrir al mismo tiempo que empezamos a sentirnos mejor. La Autopreparación le enseñará a responsabilizarse de sus sentimientos y a cambiar esa actitud victimista, sobre todo los pensamientos producidos por su Niño Inseguro. Si no se hace nada al respecto, el Niño Inseguro que lleva en su interior le destrozará la vida. Por eso es vital aprender a enfrentarse a esos pensamientos primitivos, ya que así podrá recuperar su vida.

Principio 3: La ansiedad y la depresión son intentos equivocados para controlar la vida

Cuando la inseguridad hace que se sienta vulnerable e inútil, la ansiedad y la depresión no son más que intentos erróneos que pretenden recuperar el control. La ansiedad lo hace por medio de un derroche de energía (preocupación, pánico, cavilación, hipótesis negativas, etc.), mientras que la depresión lo hace por medio de un ahorro de energía (aislamiento, fatiga, evitar a los demás, dejar de preocuparse, etc.). Desgraciadamente, más que ayudar, la ansiedad y la depresión se convierten en parte del problema, en una parte importante.

Puede parecer extraño contemplar la ansiedad y la depresión como estrategias defensoras que intentan protegernos de un daño. Seguramente, más que estrategias defensoras pueden observarse como «estrategias controladoras», puesto que la ansiedad moviliza todos los recursos de anticipación que posee intentando prepararse (lograr el control) para una colisión, y la depresión, por su lado, controla mediante la desvinculación de lo que se percibe como amenaza. Tanto si la reacción es de ansiedad como de depresión, en cualquier caso la persona sale perdiendo porque acaba siendo engañada por su Niño Inseguro.

Principio 4: El control es un espejismo, no es una respuesta

La inseguridad crea un sentimiento de vulnerabilidad. Cuando se siente vulnerable, querer estar en control parece un deseo natural y constructivo. Puede que empiece con un deseo constructivo, pero una vida controlada siempre invita a la ansiedad y la depresión. La inseguridad es avara: cuanto más control tiene, más control busca. Nada parece lo suficientemente seguro. Está destinado a correr tras la zanahoria que persigue el burro. Mientras se desespera persiguiendo la «zanahoria» con mayor y mayor agitación, no puede evitar percibir que la depresión y la ansiedad se están convirtiendo en factores permanentes en su vida.

La verdad es que la vida no se puede controlar y lo que confunde a muchos es que ese control ofrece un alivio temporal. Si se las apaña para hacer que una vida parezca tranquila y controlada siente alivio, por el momento. Cuando se siente desesperado ese alivio temporal se escribe con «A» mayúscula. Si es honesto consigo mismo sabrá que el control es siempre y para siempre un espejismo. Al igual que el ojo del huracán, es un falso sentido de calma antes de que vuelva el resto de la tormenta.

Si controlar la vida es imposible, no es más que una zanahoria colgada que perseguimos, ¿entonces cuál es la respuesta? La respuesta es resucitar un sentido de confianza en uno mismo que en vez de controlar la vida consiga que tengamos la valentía suficiente para vivirla.

Principio 5: La inseguridad es un hábito y cualquier hábito puede romperse

Usted no nació siendo inseguro, sino que ha aprendido a ser así. Puesto que los niños no cuentan con las herramientas necesarias para enfrentarse a estos primeros traumas, conflictos, malentendidos o pérdidas, cierta cantidad de inseguridad es inevitable. Aprendemos a dudar y desconfiar de nosotros mismos, y estas actitudes destructivas se ven reforzadas hasta que se convierten en hábitos. Los hábitos son difíciles de romper porque, al igual que cualquier músculo, si se practica mucho ejercicio, se hacen más fuertes.

La Autopreparación le aportará la fuerza, la técnica y la fuerza de voluntad necesaria para romper el hábito de la inseguridad. Empiece a convencerse de que lo que ha aprendido puede desaprenderse. No hay lugar a dudas: cualquier hábito puede romperse. Lo único que necesita es un plan, un poco de paciencia y convicción en usted mismo y en la Autopreparación.

Principio 6: Pensar saludablemente es una elección

Quizás no se haya dado cuenta (todavía), pero usted puede elegir no estar machacado por la ansiedad o la depresión. Quizás no puede controlar que surjan ciertos pensamientos, pero no tiene que hacerles caso ni obedecerlos. Digamos que le viene a la mente lo siguiente: «No puedo hacerlo. Voy a fracasar», un pensamiento guiado por su Niño Inseguro. Ahora es donde viene la elección. ¿Desea continuar con el pensamiento «¿Qué pasará si fracaso? Será terrible...» o desea pararle los pies al Niño Inseguro en ese mismo momento? Si se da cuenta de que tiene una elección entonces puede insistir: «Otra vez me vuelve a salir la voz del Niño Inseguro y voy a decidir no escucharle. *Elijo* no atormentarme con estos pensamientos». La Autocharla le dejará claro cómo crear la resistencia suficiente para elegir un pensamiento sano.

Principio 7: Un buen preparador es un buen motivador

El mejor preparador del mundo también tiene que ser un buen motivador. Habilidad, técnica y condiciones le ayudarán a llegar lejos, pero sin una motivación apropiada, los resultados serán decepcionantes. Esto es especialmente importante en la curación de la Autopreparación. Si padece ansiedad o depresión, entonces el Niño Inseguro tendrá la fuerza (la fuerza del hábito) y su salud emocional tendrá una seria desventaja. ¿Por qué? Pues porque su Niño está impidiendo constantemente que sus intentos de sentirse mejor tengan éxito. Para poder crear un hábito sano que resista las distorsiones de la inseguridad, debe estar preparado para el reto también.

Va a aprender a sentir indiferencia por la resistencia de su Niño Inseguro utilizando herramientas de Autopreparación para poder sacar lo mejor de sí mismo. Para luchar bien se necesitan dos cosas: la actitud correcta y una buena motivación. La actitud consiste sencillamente en tener un estado mental positivo mientras que la motivación consiste en infundir a esta actitud positiva la energía necesaria. La motivación es lo que le permite mantener el esfuerzo y llegar lejos. Empiece a cambiar de actitud ahora mismo. Comience haciendo algunas afirmaciones positivas como «Voy a salir adelante», «Voy a poder con esto».

Sugerencia para la preparación

Puesto que la ansiedad y la depresión tienen una tendencia a confundirle y desorientarle, asegúrese de escribir estos siete principios en una hoja de papel.

Puede que le sea útil en los momentos de lucha o de estrés volver a leer la lista, y seguramente los principios que contiene se convertirán en su *mantra* del éxito. Léalos y repítalos a menudo.

Segunda parte

Los problemas que la Autopreparación puede curar

3

Llegar a la raíz de su problema

La mayoría de las personas creen que la ansiedad y la depresión son dos problemas independientes que no están relacionados. Sin embargo, no es así. A pesar de que son experiencias muy distintas, están estrechamente relacionadas. Una vez observe esta conexión, podrá entender sus problemas mucho mejor.

La ansiedad puede existir por sí sola, al igual que puede ocurrir con la depresión, pero hay veces en que la ansiedad conduce a la depresión o la depresión puede mezclarse con componentes de la ansiedad. He tenido pacientes que se sentían realmente ansiosos en un momento dado y al cabo de un minuto se sumían en la depresión. La preocupación, las dudas sobre uno mismo, la cavilación, la inseguridad, el miedo, la apatía, la fatiga... La pregunta seguía presente, ¿cómo podían tener estas experiencias tan diferentes tanto en común? En vez de intentar describir estas disparidades aparentes, lo intentaré ilustrar primero. Eche un vistazo a la figura que sucede estas líneas. ¿Qué ve?

¿Un jarrón o dos caras? Si ha visto un jarrón, vuélvalo a mirar y mire si puede encontrar las dos caras. Si vio dos caras, busque el jarrón en el dibujo.

Esta ilustración subraya lo que los psicólogos denominamos figura y fondo. Lo que usted ve primero, lo que observa en primer plano, es la figura. El fondo es el terreno sobre el que *su* figura (tanto si vio el jarrón como las caras) descansa. Si vio el jarrón primero, seguramente no vio las dos caras de fondo. Ahora vuelva y mírelo de nuevo. Intente ver el jarrón y después las dos caras. Perciba que lo que ve en primer plano parece estar más cerca y lo que no ve parece retroceder.

Si usted siente ansiedad, entonces la ansiedad es el fondo. Es lo que usted verá. Aunque no pueda sospechar que la depresión puede contribuir en ese fondo, puede ser parte del dibujo, pese a no ser consciente. Por otro lado, si la depresión está en el fondo, empiece a sospechar que la ansiedad también está por detrás. ¿Por qué? Porque ambas, la depresión y la ansiedad, provienen del mismo origen subyacente de inseguridad. Son dos estrategias distintas que intentan protegerle del daño. La ansiedad lo hace por medio de un derroche de energía y la depresión, por el contrario, mediante un ahorro de energía.

Ken, un abogado de 40 años, experimentó un cóctel de ansiedad-depresión unos días después de presentar un caso relevante ante los tribunales. Después de dos semanas de intenso sufrimiento, Ken estaba desesperado por saber qué le ocurría. Cada mañana se levantaba temblando y con un estado de nerviosismo. «Era como si mi piel se intentase mudar. Tenía una terrible sensación de aprehensión y pánico. El pánico se sucedía siempre por un sentimiento de "bajón". Quiero decir un verdadero bajón. Empecé a quedarme en casa, a volver a la cama. Sólo quería que me dejasen solo.»

Ken había esperado siempre, a lo largo de su vida profesional, un caso así de importante. Finalmente sería conocido, pero las viejas inseguridades empezaron a colarse y lo que hubiese sido la oportunidad de su vida se convirtió en este desaguisado. Empezó a tener verdaderas dudas sobre su capacidad y pronto se vio inmerso en un estado de pánico, realizando toda serie de hipótesis negativas. Su ansiedad y depresión fueron los últimos esfuerzos para controlar una situación que la inseguridad de Ken había etiquetado como peligrosa.

Puede parecer extraño que la ansiedad y la depresión sean intentos para recobrar el control, pero la reacción de Ken apoya firmemente esta noción. Si no podía salir de casa, entonces tendría que renunciar al caso (lo que acabó haciendo, por desgracia) y, una vez fuera del caso, ya no había ningún peligro de perder el control. Puesto que Ken presentó su renuncia, mediante la cual eliminó cualquier posibilidad de ridículo en público (como la pérdida del control), podríamos decir que la ansiedad y la depresión que sufrió de hecho acabaron protegiéndole de sus miedos. No obstante, el final del caso no fue el fin de su ansiedad, sino que cada vez se sentía más deprimido y acabó viniendo a mi consulta en busca de terapia.

Reflexión respecto a la Autopreparación

Si permite que la inseguridad guíe su vida,
entonces no espere tener una vida.

Cuando se padece ansiedad, depresión o síntomas de ambas enfermedades, entonces es que, al igual que Ken, está intentando sobrevivir a lo que percibe como amenaza a su seguridad. Sin embargo, ahora no necesita seguir confiando en estrategias primitivas, ineficientes y destructivas. La Autopreparación le ayudará a controlar sus problemas y a vivir sin ellos.

Ayudas equivocadas

La forma en que contempla el mundo, en que interpreta sus experiencias e incluso su filosofía de vida son el resultado de su educación y su crecimiento. Al igual que un riachuelo que atraviesa una montaña refleja en su agua el terreno: una roca, arbustos, árboles... sus experiencias de crecimiento, positivas y negativas, han dado forma, han doblado y han decidido el curso de su vida psicológica. Un niño que experimenta rechazo, traumas, desacuerdos familiares, falta de cariño o divorcio puede desarrollar una visión ansiosa o deprimida de la vida. Ese niño nunca se va a sentir suficientemente seguro. Por el contrario, un niño que haya crecido con el amor y el cariño de su familia y amigos puede desarrollar un gran apetito por la estimulación y la aventura. Para este niño seguro, no hay montaña que sea demasiado alta. Como puede ver, se trata del mismo mundo, pero de interpretaciones distintas.

Las primeras heridas, ya sean físicas (accidentes, enfermedades, hospitalizaciones, etc.) o psicológicas (rechazo, frustración, hogares rotos, padres que no procesan cariño o que abusan, etc.) son inevitables. A partir de estas heridas la inseguridad extiende sus raíces en la profundidad de la psique, abonando el terreno para pautas destructivas de pensamiento y percepción. Con el tiempo, estos pensamientos inseguros pueden ir apartándose dependiendo de su resistencia psicológica y pueden dejar paso al descontrol o a los problemas emocionales. La ansiedad y la depresión son intentos naturales (aunque equivocados) para tratar esta pérdida de control.

Puede que la ansiedad y la depresión no parezcan buenas defensas, pero cuando uno está desequilibrado, sin ninguna alternativa apropiada, cualquier porche parece un buen refugio para la lluvia. Si sufre ansiedad o depresión, si ya no le quedan alternativas constructivas, no tiene por qué preocuparse porque ahora tiene la Autopreparación, que *es* la alternativa que buscaba.

Reflexión respecto a la Autopreparación
La vida no crea ansiedad o depresión; usted sí que la crea.

Estrés: Todo depende de los ojos con que se mire

Si toca un fogón caliente, sus reflejos harán que se encoja de dolor. De forma similar, la ansiedad y la depresión, más que defensas para frenar la inseguridad, parecen acciones reflejas ante el estrés. Si la vida le presenta una experiencia traumática, ¿no le está creando la «vida», al igual que el fogón caliente, la ansiedad y la depresión? ¿No es el trauma igual de traumático para todos? A veces, pero no siempre. Para la mayoría una inspección de Hacienda sería traumático, pero no todo el mundo reacciona igual. Lo mismo ocurre cuando se tiene un accidente de coche o cuando se pierde un trabajo. Aunque haya reaccionado de forma refleja y rápida en el pasado, la Autopreparación le enseñará que la vida no es un fogón caliente y que quedar atrapado en sentimientos destructivos no es automático. Antes de ir por el mundo haciéndose la víctima de la ansiedad y la depresión, aprenda una lección importante de la historia de Tom:

Tom, un hombre de mediana edad que había perdido una mano en un accidente industrial hacía unos meses, acudió a mi consulta sobre orientación marital. Ambos dedicamos unas cuantas sesiones a tratar algunas frustraciones que sentía con su mujer. Tom no mencionaba para nada su accidente, así que pensé que estaba en fase de negación, evitando enfrentarse a la tragedia. Le pregunté cómo se sentía por su pérdida de la mano y me dijo: «No me preocupa. Me queda la otra». Como averigüé más tarde, ¡no estaba bromeando! Meses después, la terapia confirmó que la pérdida de la mano no tenía nada que ver con sus problemas. Como puede sospechar, cuando ocurre una situación tan traumática, normalmente la gente no actúa como Tom y podemos decir que es una excepción porque seguro que, en su caso, estaría más afectado si perdiese una muela.

Tom es la viva prueba de que lo que constituye un trauma tiene más que ver con lo que uno mismo se dice que ha ocurrido que con lo que en realidad ha ocurrido. Está claro que Tom es un ejemplo extremo y que la mayoría de las personas estarían profundamente afectadas por la pérdida de una mano, pero hay que tener en cuenta que no es *lo que ocurre* en la vida lo que nos traumatiza, sino *cómo lo interpretamos*. Nadie excepto usted puede decidir lo que es bueno o malo, amigo o enemigo, seguro o peligroso, difícil o devastador.

La depresión y la ansiedad son una elección

Una vez establecida, la inseguridad dicta no sólo cómo usted percibe el mundo, sino también cómo se percibe a sí mismo. Puede que a veces crea que es una persona nerviosa o triste, irritable o inadecuada. Sin embargo, no hay duda sobre ello, la ansiedad y la depresión, moderada o severa, siempre disminuye la calidad de vida. Muchas personas se encogen de hombros y aceptan su situación como inevitable. «Nada me sale bien, así que ¿para qué voy a preocuparme?», suelen decir. Otros buscan desesperados poder controlar las riendas de su vida: «Si tuviese ese trabajo (coche, ascenso, novio, carrera, casa, etc.), entonces me sentiría mucho mejor». Algunos no hacen nada, mientras intentan adaptarse pasivamente, pero ¿a qué hay que adaptarse? ¿A la frustración y al tormento? Puede que usted reconozca que está viviendo sólo media existencia, pero ¿qué elección tiene?

La palabra que funciona aquí es que sí hay *elección*.

Puede que nunca se haya dado cuenta de que podía decidir no estar deprimido o sentir ansiedad. Al igual que el perro ve constantemente frustrados los deseos de librarse de la cadena, su pensamiento le ha frustrado al aceptar las desgracias de un estilo de vida. La Autopreparación le enseñará que hay elecciones. A pesar de lo mucho que le hayan asediado en el pasado sus hábitos de inseguridad, una vez aprenda a intercambiar ese pensamiento inseguro y negativo por un pensamiento maduro y responsable, la ansiedad y la depresión ya no podrán contaminar su vida.

«¿Qué? ¿Yo pensando diferente?» ¿Le parece imposible? Eso es lo que le parecía a mi hija correr más de un kilómetro y medio para su examen de gimnasia en el colegio. Las primeras veces, fuimos a dar un paseo juntos, haciendo *footing*, pero le entraba un dolor a un lado de la barriga y teníamos que parar y caminar. Desalentada, se preguntaba si alguna vez sería capaz de correr esa distancia. Intenté animarla y hablarle de la importancia de realizar un entrenamiento para que su cuerpo se acostumbrase a estar presionado a esos extremos de fatiga. Para poder correr el kilómetro y medio tenía que preparar su cuerpo para algo que, en un principio, le parecía poco natural.

Empezó los entrenamientos. Analizamos sus esfuerzos detenidamente y, al cabo de unas semanas, ya era capaz de correr esa distancia a un buen ritmo. Para poder conseguir tiempos más respetables, ahora necesitaba desarrollar resistencia y velocidad, dos aspectos que teníamos que trabajar en la preparación. Recurrí a mi experiencia como corredor de maratones y realizamos un programa en el que incluía ejercicios, subidas a montañas y ejercicios de velocidad. Con este entrenamiento prolongado, empezó a dar forma a su cuerpo y a lograr lo que hacía tan sólo unas semanas le parecía imposible. La fecha del examen de gimnasia se acercaba y ella estaba nerviosa, pero bien preparada.

El programa de Autopreparación le ofrecerá una fórmula ganadora para su caso. Seguramente al principio le parecerá innatural hacer las cosas de otra manera. «¿Que quiere que ahora sea más confiado? ¡Pero si yo siempre he sido desconfiado!» Sin embargo, su persona, su imagen, con lo que se identifica no son más que un hábito que refleja la suma de toda su experiencia en la vida. Puesto que ha aprendido, según la Autopreparación, puede desaprender, retarse a sí mismo y reemplazar su pensamiento actual por uno más sano y positivo.

Las percepciones neuróticas sobre uno mismo se forman durante los primeros años formativos. Por eso la ansiedad y la depresión suelen reflejar esas características tan primitivas e infantiles.

Echemos un vistazo a los miedos de Eric:

«¡Me estoy volviendo loco! No hago más que preocuparme. Si alguien se resfría, tengo miedo de que me lo contagie. Si oigo que un famoso ha contraído cáncer, empiezo a sentir ansiedad. Me preocupo por las críticas de mi jefe sobre el trabajo. No me gusta que me griten. Me siento tan vulnerable, tan asustado. Sólo quiero estar seguro. Parece que el mundo es un lugar grande y feo y que no pega conmigo. Me parece que me van a masticar y después me van a escupir. Me siento como un bebé. Si mi mujer me oyese hablar así, le daría algo. Siempre escondo mis miedos ante ella y piensa que soy un tipo normal, pero la verdad es que de normal no tengo nada.

Cuando era joven tuve una grave enfermedad renal y tuve que quedarme en casa durante todo un curso. Después, cuando ya me recuperé, mi madre seguía preocupándose por mí. Siempre se aseguraba de que nadie me hiciese nada malo. La tenía que haber visto cómo corría detrás del autocar en el que estaban los miembros del equipo de fútbol en que jugaba cuando me gritaban que había arruinado un partido. Una vez, cuando un niño en el colegio me amenazó con pegarme, ella insistió (y lo consiguió) en que el niño y sus padres escribiesen una disculpa formal. Tengo que admitir que estaba muy protegido, pero yo no me tenía que preocupar. En cambio ahora es enfermizo porque deseo esa misma seguridad. Antes no tenía ninguna preocupación, era fantástico.

A veces, cuando las cosas van realmente mal y me entra el pánico (y nunca se lo he contado a nadie antes) me chupo el pulgar. Me da vergüenza admitirlo, pero ahora mismo me están entrando ganas de llorar. Parece que nunca debí haberme hecho mayor.»

Eric es lo que denominamos un *Puer Aeternus*, un hombre que no ha crecido.

Explore sus propias expresiones de ansiedad y depresión. ¿Son infantiles algunas de sus reacciones? Son infantiles porque están diseñadas por un niño, usted, cuando era pequeño. Aunque ha crecido y ha cambiado en muchas formas, cuando se trata de sus hábitos de inseguridad, todo sigue igual. Sigue siendo tan primitivo y distorsionado hoy como era entonces. Está tan acostumbrado a vivir con sus antiguas inseguridades que nunca ha pensado en retarlas o actualizarlas. No vive la vida plenamente debido a la inseguridad, porque nunca ha vivido de otra forma y, de hecho, ser un neurótico le parece algo natural. Puede que sea natural, pero no es agradable.

Si consideramos que los hábitos de control e inseguridad están muy arraigados y que no son fáciles de romper, entonces ¿cuál es el pronóstico del cambio? ¡El pronóstico es *excelente!* ¿Por qué? Porque cuenta con un arma secreta: ¡la verdad! Así de simple. La ansiedad y la depresión no están basadas en la verdad, sino en percepciones falsas y distorsionadas tales como «Nadie me quiere», «Nunca tendré éxito» o «Soy un perdedor». Sin embargo, la verdad, la verdadera verdad, vencerá al dragón de la inseguridad. Puede que se sienta como un perdedor, pero eso se debe a la visión que su niño interior tiene de la realidad y no a una visión madura ni a la realidad misma.

Aprender la verdad sobre su vida y vivir la verdad es un objetivo principal de la Autopreparación. Puede que en un principio parezca antinatural, pero, créame, vivir de acuerdo con su verdad pronto sustituirá a sus viejos, trillados y destructivos hábitos. Verá que vivir plenamente el presente es una experiencia natural y cómoda. ¿Escéptico? Le aseguro que todos los pacientes con los que he trabajado han pasado de una forma de vida infantil a una vida madura y nunca han querido volver a sus antiguos hábitos.

Excluir las causas físicas

Los siguientes dos capítulos tratan la ansiedad y la depresión con detalle, pero antes de pasar a esa discusión, hay algo sobre lo que debería advertir. Aunque la mayoría de los problemas son psicológicos en su origen, algunas depresiones y ansiedades pueden estar desencadenadas por problemas físicos como el hipertiroidismo y hipotiroidismo, hipoglucemia, trastornos endocrinos, afecciones cardiovasculares, problemas respiratorios, situaciones metabólicas o neurológicas, infecciones virales, fatiga, reacciones a los fármacos y el abuso de alcohol, cafeína y otras drogas.

Antes de empezar un programa de autoayuda, debería descartar la posibilidad de que su ansiedad o depresión tenga una causa física o biológica. Una regla muy simple es observar si sus síntomas están acompañados por un pensamiento negativo y distorsionado, por un trauma, una pérdida reciente o por un factor estresante crónico. Si no es así, existe la posibilidad de que se trate de un problema que tiene un origen físico y debería consultarlo con su médico. Si le queda alguna duda, mi recomendación es que acuda a un médico.

Sugerencia para la preparación

Realice un seguimiento

Antes de aprender sobre la ansiedad y la depresión en los próximos dos capítulos, tómese unos minutos para analizar algunas de sus conductas o pensamientos más molestos y determine si esa lucha interior tiene su raíz en la ansiedad, en la depresión o en una combinación de ambos factores. Como orientación, recuerde que la ansiedad es una defensa que emplea un exceso de energía física, mientras que la depresión es una defensa basada en el ahorro de energía. También podría serle útil hacer una tabla como la que mostramos en el ejemplo a continuación. Después de leer los dos capítulos siguientes, compruebe si sus percepciones intuitivas eran acertadas.

Describa una conducta o un pensamiento perturbador	Depresión	Ansiedad	Ansiedad y depresión
1. Acabé lloriqueando todo el día. ¿Por qué tenía que tratarme así?	☑	☐	☐
2. Anoche no pude dormir bien. Quizás no me quiere. ¿Qué voy a hacer ahora? Soy un perdedor.	☐	☐	☑
3. ¡No me puedo creer que le dijese eso! ¿Qué me pasa? ¿Qué ocurrirá si cree que lo decía en serio? ¿Y si se lo ha contado a todo el mundo...?	☐	☑	☐

Después de rellenar la tabla, tómese un minuto para observar cuáles son sus conductas problemáticas. ¿Puede contemplar alguna conducta infantil y primitiva? Esta percepción será muy importante para su programa de Autopreparación.

4

Depresión

Mencione que está deprimido y verá como todo el mundo dice saber de lo que habla. Sentirse como una porquería, triste, negativo, sobrecargado o inútil son todos síntomas de lo que comúnmente se llama estar deprimido. Desde luego, todos compartimos estos síntomas de vez en cuando y eso se debe a que estar deprimido es una parte normal e inevitable de todo ser humano. Sin embargo, estar deprimido no es lo mismo que padecer depresión clínica.

Tradicionalmente, la *depresión clínica* hace referencia a cualquier depresión que cumple los criterios específicos y clínicos descritos en los manuales de medicina. Lejos de ser algo inventado o «que tiene dentro de la cabeza», la depresión clínica es un problema que afecta a todo el cuerpo y que tiene también efectos bioquímicos y emocionales. Con síntomas como la tristeza, el llanto, la fatiga, los trastornos de apetito, la reducción del deseo sexual, la preocupación, el miedo, dificultades para concentrarse y sentimientos de desesperanza, está claro que la depresión clínica puede ser un grave problema si no se trata adecuadamente. Aun así, pese a que puede ser muy devastadora, la depresión clínica muchas veces se deja sin tratar.

La razón es que para muchos la «depresión» es una etiqueta vergonzosa. Se sienten avergonzados y humillados porque creen que no pueden superar las situaciones o que son demasiado débiles. Dicen: «Debería ser capaz de enfrentarme a esto» o «No hay ninguna razón para que esté deprimido. Si espero lo suficiente, desaparecerá». Aun así, hay personas que ignoran todo lo referente a la depresión y la perciben como una parte inevitable de la vida.

Veamos el caso de Peggy, una madre de tres niños y ama de casa de treinta y cuatro años que padecía depresión. Puesto que seguía funcionando como de costumbre, no se daba cuenta de que necesitaba ayuda:

«Hace mucho tiempo que no me encuentro bien del todo. Al principio pensaba que era la rutina: levantarme, llevar a los niños al colegio, limpiar, ir a comprar, cocinar, hacer las tareas del hogar... Cada día, sin descanso. Últimamente me siento más fatigada y triste. Nunca le he dado demasiada importancia porque creía que no tenía elección. Veía mi vida como una serie de obstáculos y, bueno... ¡así es la vida! Es gracioso, pero esa vieja canción de Peggy Lee, "Is That All There Is?" (¿Es eso todo cuánto hay?), me viene mucho a la mente. Bueno, supongo que no es gracioso.

Últimamente me he echado a llorar unas cuantas veces. De repente, sin ninguna razón, me pongo a llorar. Intento que no se note ante los niños y mi marido, pero cada vez es más difícil, sobre todo con mi marido. No me interesa para nada el sexo. Las cosas con las que antes disfrutaba: leer, ir a cenar fuera, invitar amigos a casa... ahora me parecen que requieren demasiado esfuerzo. Sólo quiero que me dejen sola, pero es imposible. Cada vez me siento más y más separada de todo, y lo que me asusta más es que los niños ya no aportan esa alegría a mi vida. ¡Es algo terrible!»

Está claro que Peggy está deprimida, ¿no es así? Bueno, pues eso no le parecía tan obvio a ella. Tardó más de seis meses de sufrimiento en ser consciente. Con esto ilustramos otra causa común para infravalorar la depresión, que es una tendencia para adaptarnos a nuestro humor deprimido, a nuestro hábito de depresión. Empieza a ser algo natural, pésimo, pero natural. Exactamente igual que ocurre con las gafas de sol, después de llevarlas puestas un rato, la oscuridad se percibe como natural. Al principio, Peggy pensó que era una de esas personas ineficientes que, como otras madres, era demasiado débil para llevar a cabo todas las demandas de la maternidad. Esta autopercepción distorsionada y vergonzante de ella misma fue el remate final a su ya frágil inseguridad y la llevó a la depresión clínica.

¿En qué medida estoy deprimido?

Cuando Peggy acudió a la consulta, ella misma se había deteriorado notablemente. Debido a la presión de las responsabilidades como ama de casa, quería explorar las posibilidades de la medicación con antidepresivos con el objetivo de hacer una vida normal. Al cabo de un mes de empezar la medicación, ya se sentía más tolerante y optimista y realizaba las labores de forma más eficiente.

Al sentirse menos presionada, Peggy pudo utilizar la terapia para poner fin a la erosión causada por su inseguridad. Por fin, aprendió que se había permitido a sí misma ser una víctima de las circunstancias. Abrumada, descontrolada e insegura para explorar sus necesidades, Peggy se había rendido y, una vez se rinde uno, es casi imposible evitar la depresión. Se sintió atrapada, sin esperanzas, y no era consciente de que tenía elecciones. Su primer paso hacia la salud fue el reconocimiento de que de verdad padecía depresión y necesitaba ayuda. La terapia, junto con los efectos de la medicación, permitieron a Peggy empezar a hacer enseguida cambios saludables.

Al igual que Peggy, usted necesita evaluar con precisión hasta dónde llega su depresión. Si ha reducido su actividad normal y observa que sus pensamientos cada vez son más negativos y más constantes, debería explorar la posibilidad de medicación. Si, por otro lado, a pesar de padecer una depresión suave, o incluso moderada, es capaz de seguir dirigiendo su vida, entonces un programa de autoayuda puede ser todo cuanto necesite para llevar las aguas a su cauce normal.

Puesto que la depresión puede ser una enfermedad grave que realmente atenta contra la vida, vamos a empezar con una autoevaluación para ver si usted se puede estar enfrentando a una depresión clínica. Observe la siguiente lista. En las casillas de la izquierda, marque cualquier síntoma que ha experimentado durante más de dos semanas.

- ☐ Me encuentro deprimido, triste y/o irritado casi todo el día, casi cada día.

- ☐ Las cosas con las que antes disfrutaba ahora ya no me interesan.

- ☐ He notado un descenso o un aumento en mi apetito, acompañado de un cambio de peso.

- ☐ Duermo demasiado o muy poco.

- ☐ Me siento siempre agotado y sin fuerzas.

- ☐ Me siento inútil y tengo un intenso sentimiento de culpabilidad casi siempre.

- ☐ No me puedo concentrar como solía hacerlo y tengo dificultades a la hora de tomar decisiones.

- ☐ Estoy inquieto, agitado y no me siento en forma físicamente.

- ☐ A menudo pienso en la muerte. He pensado o he intentado suicidarme.

Si ha experimentado cuatro, o menos de cuatro, de los síntomas descritos, entonces puede padecer una depresión suave (asumiendo que no ha marcado la última casilla y no ha pensado nunca en suicidarse). Sin embargo, tenga en mente que incluso la más mínima depresión necesita su atención. Por ejemplo, la distimia es una forma particularmente molesta de una depresión de bajo grado que puede durar años y que se manifiesta con sentimientos crónicos de tristeza y desesperanza. Otra forma bastante elusiva de depresión suave, llamada depresión atípica, puede ser difícil de evaluar, puesto que un día la persona se encuentra bien y al día siguiente está deprimida. La Autopreparación por sí sola o acompañada de terapia puede ser la solución para acabar con estas luchas. En algunos casos, la medicación de antidepresivos también puede ser útil. Si se decanta por la Autopreparación, vuelva a este cuestionario de forma regular para asegurarse de que la depresión está amainando.

Si ha marcado cinco o más casillas, puede estar experimentando un episodio depresivo grave y debería acudir a la consulta de su médico o de un psicólogo. Es importante que se explore la necesidad de medicación antidepresiva, sobre todo, si ha tenido pensamientos o fantasías suicidas. Si ha tenido pensamientos suicidas y se siente fuera de control, debería llamar a un psicólogo inmediatamente. ¡No lo dude! Si no conoce a ninguno, acuda a la sala de urgencia del hospital más próximo.

Determinar la depresión

Se desconoce la causa exacta de la depresión, pero se sabe que hay algunos factores comunes que pueden desencadenar la depresión y los síntomas depresivos. Los siguientes cinco factores pueden estar relacionados con su depresión:

1. *La enfermedad física* puede estar asociada con la depresión. La diabetes, los trastornos de tiroides, el cáncer, el fallo cardiaco, el Parkinson y las situaciones dolorosas, crónicas e incurables (lesión en la médula espinal, síndrome de inmunodeficiencia adquirido [SIDA], etc.) o incluso un simple virus pueden contribuir al sentimiento de depresión. Puesto que muchas afecciones médicas afectan a la depresión, si tiene alguna preocupación física, es importante que se haga una exploración médica completa.

2. *La medicación, los fármacos y las drogas ilegales* pueden provocar efectos secundarios asociados con la depresión. La medicación prescrita (incluyendo las medicinas de hipertensión, los tranquilizantes, los esteroides y la codeína), el alcohol y otras intoxicaciones por drogas pueden causar depresión. Si piensa que la depresión se debe a alguna

medicina que está tomando en la actualidad, no debería dudar en consultárselo a su médico.

3. *El historial familiar* puede contribuir a la depresión. La depresión es entre 1,5 y 3 veces más común entre hermanos, padres y otros parientes. Discuta la importancia de esta información con sus familiares, animándoles a ser sinceros con usted.

4. *El estrés ambiental* también puede ser un factor influyente en la depresión. Las pérdidas como la muerte, el divorcio, la separación de una relación significativa, la pérdida de un trabajo o condiciones de vida difíciles como la pobreza, el peligro, la incertidumbre, etc., pueden provocar un estrés importante y precipitarse en depresión. Hay investigaciones actuales que demuestran cómo el estrés, ambiental o social, modifica la forma, el tamaño y el número de neuronas del cerebro. Tenga en cuenta que no sólo nos afecta el estrés, sino que es la forma en que lo interpretamos y nos enfrentamos a él (la Autopreparación puede enseñarle cómo enfrentarse).

5. *Los factores psicológicos* también intervienen en la depresión. La mayoría de las depresiones están desencadenadas por el estrés y la ansiedad. Las investigaciones sugieren que las experiencias de la infancia conforman la base de la sensibilidad y susceptibilidad a la depresión. Esto significa que la inseguridad sienta los cimientos del pensamiento negativo y distorsionado y este hábito de pensamiento inseguro refuerza la depresión. Éste es predominantemente un problema recurrente, de forma que el 80% de las personas que han sufrido un episodio depresivo acabará sufriendo otro en el futuro a menos que altere el hábito de pensamiento distorsionado (la Autopreparación puede guiarle en la modificación de ese hábito).

Reflexión respecto a la Autopreparación

Los sentimientos cambian la química.
A menos que modifique su hábito de pensamiento inseguro y negativo,
seguirá siendo susceptible a la depresión o a recaer en la depresión.

Depresión natural y depresión destructiva

Como puede ver, la depresión tiene muchas caras y puede ser una fuente de confusión. La Autopreparación puede ayudarle a simplificar el problema, utilizando dos grandes categorías de depresión: la natural y la destructiva. Hemos listado una tercera depresión, pero sólo se trata de una designación de un tipo de depresión natural que progresa hacia la fase destructiva.

Depresión natural

La depresión natural es una reacción de pérdida, frustración o tragedia proporcionada, que acaba desapareciendo con el tiempo. Por ejemplo, la pérdida de un ser querido puede acarrear una depresión debilitante con síntomas como tristeza intensa, insomnio, poco apetito, incapacidad para la concentración y un malestar en general. Aunque estos síntomas puedan parecer graves, son una consecuencia normal de la aflicción y por eso no sugeriría que una viuda apenada busque terapia.

Si sus reacciones son consistentes y han surgido a raíz de una circunstancia traumática de la vida, entonces la depresión puede ser un mecanismo para enfrentarse a esa situación que desaparecerá a su debido tiempo.

Depresión destructiva

Una depresión destructiva puede verse precipitada por un trauma o por factores de estrés, pero ya ha sido alimentada y sostenida por pensamientos destructivos de inseguridad. Puesto que sus pensamientos pueden cambiar la química cerebral, la depresión destructiva puede degenerar fácilmente en depresión clínica. En los capítulos sucesivos aprenderá cómo la depresión suele ser un débil intento para controlar la vida.

Depresión natural/destructiva

Si las personas que padecen depresión natural empiezan a alimentarla con sentimientos de inseguridad, entonces se corre el riesgo de caer en una depresión destructiva. Pongamos el ejemplo de una viuda. Si sus síntomas durasen más de dos meses o si su inseguridad empezase a crear síntomas desasociados con su aflicción, como la culpabilidad, la inutilidad, poca capacidad para trabajar o pensamientos suicidas, podría concluirse que su depresión natural está progresando hacia la depresión destructiva.

Hablando claro, ¿en qué punto está mi depresión?

Para evaluar la depresión, además de evaluar el estado anímico, también necesitaríamos tener en cuenta cualquier cambio en su conducta. La depresión suave, por ejemplo, puede experimentarse en forma de apatía hacia su trabajo. «No lo sé explicar, pero ya no tengo ganas de ir a trabajar.» Utilizando el mismo ejemplo, la depresión moderada podría provocar que la persona empezase a faltar al trabajo, a coger bajas por enfermedad o sin razón alguna. En los estados moderados de depresión, algunas funciones se ven sacrificadas, pero en la depresión severa, la persona prácticamente no puede llevar una vida normal. Así, utilizando el mismo ejemplo, la persona, además de no ir al trabajo, tampoco podría realizar tareas

Depresión: Una escala de gravedad

1	2	3	4	5	6	7	8	9	10

Suave	Moderada	Severa
Humor deprimido, apatía, letargo, bajada en la actividad, declive de intereses o *hobbies*, descenso de espontaneidad, sentimiento de que da igual todo, depresión ocasional; puede que el rendimiento se vea un poco limitado, pero puede llevar una vida normal.	Intensificación de todos los síntomas suaves, ataques de llanto ocasionales, preocupación, actividad general reducida, fatiga, ansiedad, dificultades sociales, trastornos en el apetito, sueño perturbado o excesivo, dificultades para la concentración y para recordar, descenso en el interés sexual, sentimiento de depresión casi siempre con períodos ocasionales de distracción, susceptibilidad a la enfermedad, poca tolerancia a la frustración y sentimientos de desesperanza.	Intensificación de todos los síntomas suaves y moderados; la actividad es mínima o ha quedado prácticamente aniquilada; pensamientos de suicidio; depresión continua.

cotidianas como arreglarse, relacionarse con la gente o incluso comer. Queda claro, pues, que la depresión severa es un grave problema tanto emocional como físico.

Si tiene un virus y tiene 37 grados de fiebre seguramente estará menos preocupado que si tiene 39,5. Otro problema con la depresión es decidir, lo más objetivamente posible, qué grado de depresión tiene. Puesto que no existe un termómetro para la depresión, he intentado hacer una escala para ayudarle a visualizar la intensidad de la misma. El grado se va haciendo cada vez más agudo y grave según progresa de la izquierda a la derecha. También cabe añadir que los síntomas son acumulativos, es decir, que la depresión moderada puede incluir cualquiera o todos los síntomas de la depresión suave y la depresión severa puede incluir cualquiera o todos los síntomas de la depresión suave y moderada. Eche un vistazo a la escala y estime en qué punto situaría su depresión.

Los bajones no tan pronunciados

¿Es el estado anímico bajo una forma de depresión? De vez en cuando, todos nos sentimos un poco «depres»; no es nada crítico, nada de importancia, pero parece que todo nos da igual. Un estado anímico bajo, debido a su naturaleza transitoria y reactiva, no constituye una depresión. No es algo agradable, pero tampoco hay que preocuparse.

Por el contrario, la depresión destructiva normalmente absorbe la energía vital en un intento de controlar la inseguridad. La palabra clave aquí es «hábito». Un estado de humor bajo es una escaramuza ocasional que no forma un hábito.

¿Cómo podía saber hace una hora, cuando me sentía abrumado de trabajo y fatigado por el calor, que no sufría una depresión? Pues porque se desvaneció en un tiempo apropiado. Si no está seguro, espere y observe. Si, al cabo de unos días, su humor no mejora, entonces puede sospechar que se trata de depresión.

¿Qué ocurre con la medicación?

Tal y como mencionamos anteriormente, la depresión clínica puede convertirse en una importante disrupción de su funcionamiento normal y cotidiano. En el caso de una depresión severa, los antidepresivos podrían ser indicados, ya que si consideramos el bajo porcentaje de efectos secundarios de las nuevas medicinas de serotonina de inhibidores de respuesta y los tremendos beneficios que puede aportar una intervención segura, eficiente y no adictiva, no hay ninguna razón para estar en contra de la medicación. No obstante, recurrir sólo a la medicación no es una elección efectiva. Se ha comprobado que la combinación de medicación y terapia es la estrategia más efectiva para trabajar con depresiones moderadas y severas. Cabe recordar que, a menos que se acabe con las percepciones y los pensamientos de inseguridad que refuerzan su depresión, hay muchas posibilidades de que ésta vuelva a recurrir.

Para muchos, el concepto de tomar medicación antidepresiva evoca muchas reacciones negativas: «Supongo que estoy muy jodido si necesito medicación». «¿Qué? ¡Medicación! ¿Tan mal estoy?» Estas respuestas son poco afortunadas porque cualquier persona (no sólo usted) que muestre suficientes síntomas de estrés, ansiedad o depresión, va a acabar alterando su equilibrio bioquímico natural. Sus emociones son muy sensibles a cualquier disminución de las sustancias químicas cerebrales como la serotonina, dopamina y norepinefrina, conocidas como neurotransmisores. La medicación antidepresiva puede restaurar esta disminución química. Puede que tomarse una pastilla para sentirse mejor no parezca algo natural, pero considere lo siguiente: la medicación antidepresiva no va a hacer que tenga un estado de ánimo fantástico ni va a acabar con la depresión, sino que le va a permitir reestablecer un equilibrio más natural. Cuando se haya fortalecido físicamente, podrá optimizar sus esfuerzos, tanto si están concentrados sólo en la Autopreparación o en la Autopreparación y la terapia con un profesional. Considere la medicación antidepresiva como un «salto» inicial que le acercará a su meta final de confianza en sí mismo y Autoentrenamiento.

¿Y qué ocurre si sólo experimenta algunos de los síntomas descritos o si sólo los siente de vez en cuando? ¿Está deprimido en ese caso? ¿Necesita medicación? Si realiza sus actividades cotidianas de forma adecuada y puede salir adelante emocionalmente, entonces seguramente se trata de una depresión suave, en cuyo caso la medicación seguramente no será necesaria, pero sí lo es realizar ciertos cambios. La Autopreparación le ayudará a apartar la inseguridad de su vida y frenar así el agotamiento físico y químico de su sistema. Cuando pueda poner fin a la situación depresiva, podrá restaurar sus reservas químicas de forma natural.

Combatir la depresión mediante la Autopreparación requiere que usted posea:

- Un entendimiento claro sobre qué es lo que está realizando para alimentar el hábito depresivo.

- Un programa de preparación que deberá seguir.

- Capacidad (determinada por la intensidad de su depresión) para seguir cumpliendo con el programa y la preparación.

Si puede cumplir estos tres objetivos, entonces puede tener esperanzas realistas de combatir la depresión.

Tipos de depresión

Anteriormente cité que una de las razones por las que se infravalora la depresión es porque nos adaptamos a ese estado de ánimo bajo. Otra razón es la ignorancia. Se puede excusar, equivocar o no prestar atención a la depresión (sobre todo las formas suaves y moderadas) con frases como «Sólo estoy aburrido», «Dejadme en paz, sólo quiero estar en la cama. Estoy cansado» o «No me pasa nada, sólo tengo un momento malo». La lista que le ofrecemos a continuación, en la que enumeramos las depresiones más comunes, le ayudará a apreciar las distintas caras de la depresión severa, distimia, depresión afectiva estacional, depresión bipolar, depresión atípica y depresión posparto.

Depresión severa

Se trata de una de las formas más graves de depresión y se caracteriza por uno o más episodios depresivos severos (ver síntomas listados en la escala de depresión severa). Esta depresión se caracteriza por un profundo estado de desesperación, desilusión, sentimiento de inutilidad, rechazo, pérdida de interés en actividades normales y un largo etcétera. Asimismo, también está asociada con una alta tasa de suicidio. No es raro que el abuso de sustancias, el trastorno de pánico y los trastornos obsesivos-compulsivos se den a la vez con la depresión severa.

A pesar de ser más frecuente en mujeres, puede ocurrir en cualquier grupo de personas, afectando a uno de cada diez de nosotros. Si padece este tipo de depresión, debe ponerse inmediatamente en contacto con un profesional de la salud mental. Si bien la medicación y la psicoterapia son esenciales, la Autopreparación puede ser una herramienta complementaria a su tratamiento, además de una estrategia para prevenir o minimizar a largo plazo recaídas futuras.

Distimia

Una distimia se caracteriza por un estado anímico crónicamente deprimido, que suele traducirse en estar siempre triste o sentirse como una colilla. La distimia suele persistir durante años y no mengua la actividad de una persona, pese a que la inhibe en gran medida. Normalmente, se manifiestan síntomas depresivos de bajo grado que incluyen una pobre autoestima, baja energía, trastornos de sueño, poco apetito o exceso de apetito y sentimientos generales de incapacidad.

La distimia suele ser más frecuente en las mujeres que en los hombres. Pese a que la terapia individual y la medicación son de gran ayuda, la Autopreparación constituye una técnica extremadamente efectiva para alejar a estos pacientes de la apatía que sienten.

Depresión afectiva estacional

La depresión afectiva estacional, a menudo referida como «la tristeza de invierno», no es una depresión común. Aunque la causa específica es desconocida, la falta de luz del sol durante los meses de invierno parece ser el factor principal. De hecho, la latitud en la que se vive es una variable muy importante. Los síntomas de esta depresión pueden variar de suaves a severos, suelen aparecer a finales de otoño y desaparecer en primavera.

Fototerapia (por ejemplo, el amplio espectro de terapia con luz fluorescente) es un tratamiento efectivo probado. La Autopreparación también puede ser de gran ayuda para controlar la negatividad, la culpa y la inercia.

Depresión bipolar

La depresión bipolar (anteriormente conocida como la depresión maníaca) se caracteriza por la alternancia de ciclos de períodos de alta energía y una actividad frenética, que pueden durar desde varios días hasta meses, seguida de una fase depresiva caracterizada por la inercia, la baja autoestima, el aislamiento, la tristeza, el riesgo suicida, etc. En cualquiera de las fases, hay una susceptibilidad al abuso del alcohol o drogas. Estos episodios no están provocados por una clara causa ambiental o situacional.

La herencia y los factores psicológicos parecen jugar un papel protagonista en la depresión bipolar. Existe una mayor incidencia en pacientes con familiares que ya han padecido este trastorno. De padecerlo, se debería consultar a un profesional lo antes posible. En cuanto a la Autopreparación, utilizada en combinación con tratamiento profesional, puede ser una herramienta valiosa para conseguir la estabilidad a largo plazo.

Depresión atípica

Este tipo de depresión se describe como la falta de las reacciones de debilitamiento y decaimiento que se dan en otras depresiones. Una persona se puede encontrar perfectamente un día y deprimido al día siguiente, sin ningún desencadenante o incidente que pueda haber provocado el cambio. La Autopreparación puede ser una guía genial para las depresiones atípicas.

Depresión posparto

Un decaimiento suave del humor es común después de dar a luz. Sin embargo, si estos síntomas se vuelven más severos y duran más de unos días, se puede sospechar que existe una depresión posparto. Ésta puede ser severa y puede amenazar a la madre y al niño. Parece ser que la causa está en los desequilibrios hormonales.

Busque ayuda inmediatamente. La Autopreparación y la terapia profesional le guiarán sobre cómo deshacerse de estas percepciones y sentimientos distorsionados y sobre cómo mantener un estado de ánimo optimista.

Sugerencia para la preparación

Utilizando las descripciones de este capítulo, intente observar cuántos síntomas depresivos reconoce en sus luchas diarias. Haga una lista de los síntomas y utilícelos en la escala de depresión para estimar su gravedad.

La lectura en la escala de depresión le servirá como base para la preparación. Cuando empiece el entrenamiento seriamente, una vez a la semana deberá repetir la lista y evaluar sus síntomas. La razón para este ejercicio es asegurarse de que su depresión no está progresando negativamente. Además, los resultados también le servirán como una fuente de apoyo y ánimo para seguir adelante.

5

Ansiedad

«Me va a dar un infarto. De verdad, que me da. A veces se sabe que va a pasar algo. No sé, tienes una especie de nudo en la garganta, ¿sabes? Últimamente me da miedo ir al trabajo y, cuando voy, estoy siempre buscando una oportunidad para descansar y no alterar demasiado mi ritmo cardiaco. Fui al médico y me dijo que mi presión arterial estaba ligeramente elevada. Bueno, si fuese tan "ligeramente elevada" no me hubiese dicho que tenía que perder unos kilos ni me hubiese recetado medicinas. Sé que intenta no alarmarme. Empezó a recetarme unos medicamentos y ahora lo único que sé es que mi corazón está a punto de explotar.

Ya estaba preocupado antes de lo de la alta tensión arterial y ahora me preocupa todo el daño que puede estar causando. A la alta tensión le llaman el asesino silencioso, pero yo puedo asegurar que el mío no lo es. ¡Puedo sentir que tengo la tensión alta! Me siento como un globo al que han hinchado demasiado y está a punto de estallar.

El médico dice que me calme, que estoy "fuerte como un roble", pero sé que no me quiere decir la verdad porque sabe que me preocupo por todo y, de todas formas, los médicos no saben lo que ocurre sólo con unas pruebas, pero yo sé que me va a explotar el corazón. Me da miedo practicar sexo porque no quiero realizar esfuerzos. Mi mujer cree que estoy loco y mis hijos no entienden por qué ya no quiero jugar a deportes con ellos. Todo esto me pone más nervioso y últimamente ya ni duermo. Cuando voy a la cama, noto que mi corazón va a toda velocidad y entonces es cuando me entra el pánico... empiezo a sudar. Anoche me puse chorreando de sudor. Mi corazón no puede aguantar así mucho tiempo. Sé que tendría que relajarme, pero no puedo y me estoy cavando mi propia tumba.

Creo que tendría que estar en el hospital. Estoy siempre preocupado, no puedo dejar de pensar. Odio estar pensando en esto todo el rato, pero *no* puedo dejar de pensar. Me estoy volviendo majara. Ya me puedo ver en la ambulancia, con dolor. No quiero morirme.»

Sal padecía ansiedad y pánico, una horrible combinación. En breve, su inseguridad no le permitía confiar en la vida. El órgano que está más asociado con la vida es el corazón y ese fue el gancho al que se aferró Sal para proteger su inseguridad. Puesto que no confiaba en su corazón, no podía confiar en la vida y le parecía que la única elección era vivir en una angustia crónica. La Autopreparación enseñó a Sal a enfrentarse a estas distorsiones. No había ningún problema con su corazón o con su vida, sino con su arraigado hábito de inseguridad y desconfianza, al que tenía que poner fin. Con la información y orientación que determinamos en la terapia, Sal empezó a luchar.

Hay que decir que nunca tuvo un ataque cardiaco y que este monólogo transcrito de Sal son palabras que pronunció hace más de cinco años. Hace poco le vi en un partido de fútbol del barrio. Él entrenaba al equipo y hacía prácticas antes de empezar. Me vio y se acercó a mí con una sonrisa, diciéndome: «Oye, doctor, parece que la terapia ha dado buen resultado ¿eh?». Los dos nos reímos. Ojalá hubiese podido ver Sal esos resultados hacía cinco años.

La ansiedad, tanto si es suave o severa, como ocurría con los ataques de pánico de Sal, puede tener efectos significativos en el cuerpo. Algunos de los posibles efectos de la ansiedad son:

- Un aumento del azúcar en la sangre.

- Tensión muscular.

- Boca seca.

- Latidos o palpitaciones rápidas.

- Dolores de cabeza.

- Fatiga.

- Impotencia.

- Espasmos de colon.

- Diarrea o estreñimiento.

- Insomnio.

- Baja concentración.

- Sentimiento general de aprensión y temor.

Echarle la culpa a no tener dientes afilados

La ansiedad es un vestigio de lo que los científicos llaman la respuesta «luchar o huir». Durante nuestra evolución pasada, esta respuesta era una razón crucial de la supervivencia como especie. Aceptémoslo, los humanos no tenemos una velocidad sorprendente, unos dientes aterradores, unas pinzas cual hoces, ni siquiera una coloración protectora. La verdad es que somos bastante vulnerables, así que necesitábamos toda la ayuda de nuestros genes para evitar la extinción.

La respuesta «luchar o huir» es una estrategia generalizada que enseguida dota al cuerpo de la energía liberada por las hormonas y otras sustancias químicas. Al sentirnos más fuertes, estamos en una situación óptima para luchar contra el peligro o alejarnos a toda prisa. En cualquier caso, nuestro cuerpo estará listo para la acción y a sus genes les da igual si es un cobarde o un héroe, lo importante es sobrevivir.

Arena movediza y otros retos de la vida

A lo largo de la historia humana, la respuesta «luchar o huir» tenía sentido y hoy en día sigue teniéndolo, sobre todo en los momentos de crisis. Recuerdo una vez que estaba solo en una excavación de fósiles en una mina de fosfato en Carolina del Norte. De forma accidental, me vi metido en una marga, como si se tratase de arena movediza. Cuando ya estaba cubierto hasta la cintura y hundiéndome, mi conciencia normal cambió de repente. Consciente de mi respiración superficial (rica en oxígeno), tumbé la parte de arriba de mi cuerpo sobre un rastrillo que tenía para cavar. Con una fuerza que jamás había sentido antes (ni después), utilicé los músculos superiores para seguir tendido sobre el rastrillo y liberar mis piernas de la increíble succión de la marga. Poco a poco fui avanzando y, después de una lucha de unos diez minutos, que me pareció como diez años, logré llegar a tierra sólida y quedé allí abatido, completamente agotado. De un trago me bebí el agua que me quedaba y busqué desesperadamente unos caramelos que había metido con el almuerzo. Estaba muerto de hambre y totalmente agotado y me era imposible reducir el pulso o la respiración.

¿Qué aprendí de esa experiencia tan próxima a la muerte? Unas cuantas cosas. La primera, que el cuerpo es una máquina impresionante. Mis instintos sabían que era hacerlo o morir (en este caso mi única opción era luchar para poder huir). Cada sistema de mi cuerpo colaboró para liberarme de aquel terrible final. Todo ese gasto de energía instintiva era necesario para sobrevivir. Después, me sentí como si hubiese corrido un par de maratones, y tuve que dormir durante muchas horas para sentirme como antes.

De ahí extraje la siguiente conclusión: aunque mi experiencia fue muy intensa, le puedo asegurar que muchos de mis pacientes que padecían ansiedad, pánico o fobias intensas describían prácticamente la *misma* reacción, ¡pero sin arenas movedizas! La razón es bastante sencilla: la ansiedad no diferencia entre el peligro real e imaginado. Si, por ejemplo, usted interpreta una inspección de Hacienda como el final del mundo, entonces su cuerpo responderá de la única forma que sabe (lucha o huye), todo o nada, hacerlo o morir. Todas las percepciones son distorsionadas, se desencadena el pensamiento guiado por la inseguridad con el propósito de que las glándulas que contienen adrenalina empiecen a secretar hormonas en el flujo sanguíneo y, en cuanto empieza la ansiedad, puede convertirse en algo tan aterrador como una apisonadora.

Ansiedad natural y ansiedad destructiva

Al igual que con la depresión, divido la ansiedad en dos categorías generales: ansiedad destructiva y ansiedad natural. El pánico de Sal era un claro ejemplo de *ansiedad destructiva*, puesto que estaba producida por la inseguridad, una desproporción de la circunstancia, siempre exagerada, y la persistencia. Su propósito es intentar controlar la vida con una intensa agitación de pensamientos (preocupación, cavilación, obsesión, etc.).

Ansiedad natural, a diferencia de la ansiedad destructiva, es normal, proporcionada a la circunstancia, no exagerada y limitada en el tiempo. Al igual que la depresión, la ansiedad natural es una parte inevitable de la vida. Lo que nos ocurrió a mi mujer y a mí antes de que ella se sometiera a una intervención quirúrgica sirve como ilustración. De repente nos empezamos a preocupar sobre innumerables cosas: la anestesia, el resultado, la terapia física... pero al final (debido a la insistencia de mi esposa), decidimos tener fe en las manos de Dios y del cirujano. Activamente elegimos y luchamos para dejar atrás nuestras preocupaciones que, hasta ese momento, nos habían causado algunas noches de insomnio, dolores de cabeza, cavilaciones, preocupaciones, dificultad para concentrarnos en el trabajo, etc. Todos eran síntomas de ansiedad, pero de ansiedad natural (por ejemplo, preocupación proporcionada, no exagerada y limitada en el tiempo).

Ahora bien, el hecho de que la ansiedad natural sea una parte normal de la vida no significa que no pueda enfrentarse a ella. La Autopreparación le ayudará a determinar cuándo es suficiente y cómo liberarse de las preocupaciones. ¿Por qué sufrir innecesariamente incluso cuando es natural?

Pautas negativas

Aunque la Autopreparación puede ser una herramienta muy útil a la hora de tratar la ansiedad natural y transitoria, cuando hablamos de luchar contra la ansiedad destructiva, se convierte en indispensable. Veamos cuáles son las pautas destructivas más comunes: el trastorno de ansiedad general, los ataques de pánico, el trastorno obsesivo-compulsivo y, por último, las ansiedades y las fobias sociales.

El trastorno de ansiedad general

El trastorno de ansiedad general está caracterizado por los siguientes síntomas:

- Exceso de preocupación y ansiedad.
- Inquietud, nerviosismo.
- Fatiga.
- Dificultad para concentrarse o recordar.
- Irritabilidad, mal humor, enfados continuos.
- Tensión muscular.
- Dificultades en el sueño (dificultad para conciliar el sueño, mantener un sueño profundo, nerviosismo, sueño no restaurador).

La gente que padece el trastorno de ansiedad general está siempre preocupada. Da igual lo que les preocupe. Pueden ser problemas grandes, pequeños o nimiedades. También es característico el sentimiento de desequilibrio y descontrol en estas personas. En ese caso, la preocupación es un intento persistente y continuo para averiguar cómo recobrar el control y evitar la vulnerabilidad. Por desgracia, la preocupación, en vez de atenuar la vulnerabilidad, crea más ansiedad, lo que aumenta el sentimiento de vulnerabilidad. El ciclo vicioso se inicia así:

Vulnerabilidad/inseguridad → pérdida de control → preocupación (intento de recobrar el control) → aumento de ansiedad → aumento del sentimiento de vulnerabilidad y pérdida de control → mayor preocupación y más persistente → mayor ansiedad y más persistente → etc.

Ataques de pánico

Los ataques de pánico se caracterizan por los siguientes síntomas:

- Palpitaciones.
- Sudoración.
- Temblor.
- Respiración deficitaria.
- Dolor o molestias en el pecho.
- Náuseas.
- Suaves dolores de cabeza o desmayos.
- Temor a perder el control.
- Temor a morir.
- Entumecimiento u hormigueo.
- Sofocones o calor repentino.

Las personas que padecen ataques de pánico experimentan una serie de intensos e incómodos síntomas físicos de forma periódica que se combinan con pensamientos sobre una inminente catástrofe o desastre. Los ataques de pánico normalmente son impredecibles y desorientadores. Asimismo, pueden ser tan traumáticos que la persona empieza a vivir atemorizada pensando en una repetición en el futuro.

El pánico normalmente ocurre en dos fases: (1) una *fase de anticipación* de ansiedad cada vez mayor, en la que la inseguridad empieza a dominar el pensamiento, y (2) una *fase de lucha o huida* de reactividad física. Esta experiencia es tan intensa y desorientadora que la mayoría de la gente la describe como un sentimiento de locura o de descontrol.

Trastorno obsesivo-compulsivo

El trastorno obsesivo-compulsivo tiene dos componentes:

• Pensamientos recurrentes, persistentes e intrusos que pueden causar un aumento de la ansiedad.

• Conducta o pensamientos repetitivos que la persona se siente obligada a llevar a cabo para recobrar el sentido de control.

Los pacientes de este trastorno son víctimas de una preocupación exagerada y continua. El pensamiento «¿He apagado el fogón?» puede generar una preocupación momentánea para casi todo el mundo, pero la persona que sufre el trastorno obsesivo-compulsivo se llegará a preocupar hasta la obsesión con innumerables frases como «¿He dejado la alarma encendida? Me parece que sí, pero no me acuerdo. ¿Lo hice o no? Es que no estoy seguro. Me acuerdo que entré en la cocina. Creo que sí. Quizás no...».

Este trastorno está provocado por la inseguridad, por la incapacidad para confiar en las acciones o pensamientos de uno mismo. Al no confiar en sí misma, la persona no podrá confiar en sus recuerdos y no podrá sentirse segura (por ejemplo, en control de la situación), generando la ansiedad.

Las compulsiones son los intentos para intentar reducir la ansiedad generada por las obsesiones. En el ejemplo «¿He dejado encendida la alarma?», esta pregunta podría sucederse de una comprobación para ver si de hecho la alarma había quedado encendida, pero la cosa no se queda aquí, ya que, debido a esa desconfianza, la persona se volverá a hacer la pregunta «¿Estoy seguro de que la he dejado encendida?» y volverá a ir a comprobarlo, no una vez, ni dos, sino innumerables veces antes de marcharse tranquilo. Los pacientes con trastorno compulsivo-obsesivo alivian la ansiedad mediante sus compulsiones, pero prácticamente no obtienen satisfacción.

La conducta obsesiva-compulsiva está muy relacionada con la conducta supersticiosa. Ambas tienen en común el controlar algunos aspectos de la conducta para lograr mayor control (tocar madera, echar sal por encima del hombro, etc.). Los rituales del trastorno obsesivo-compulsivo son, de hecho, intentos supersticiosos para apartar la inseguridad y controlar el destino. Una paciente mía de dieciocho años, que sufría el trastorno compulsivo-obsesivo, había empezado a conducir hacía poco y me dijo: «Si toco la puerta del coche seis veces antes de entrar en el coche, no tendré ningún accidente. He intentado no tener que hacer siempre esta "tontería", pero mi ansiedad subió por las nubes cuando intenté conducir sin hacerlo. Tuve que parar el coche, salir fuera y tocar la puerta seis veces».

Determinar un número de repeticiones es un aspecto bastante común de estas compulsiones (tres golpecitos en la puerta antes de entrar, abrochar y desabrochar el cinturón cinco veces antes de conducir, etc.). Con el tiempo se desarrolla una secuencia exacta con unas exigencias muy rígidas.

Los pacientes del trastorno compulsivo-obsesivo no están locos. De hecho, ellos mismos reconocen que sus compulsiones son tontas, incluso ridículas, pero, puesto que estos rituales reducen su ansiedad, los siguen realizando.

Ansiedades y fobias sociales

Las ansiedades y las fobias sociales se caracterizan por:

- Un miedo excesivo y persistente infundado y relacionado con la anticipación de una experiencia, situación u objeto específico.

Hay personas que experimentan situaciones específicas que conllevan ansiedad y pánico. El miedo a los puentes, túneles, a hablar en público, a los ascensores o a volar son ejemplos de respuestas fóbicas. Básicamente, las ansiedades y las fobias sociales son ataques de pánico y de ansiedad que están relacionados con una experiencia desencadenante. Cualquier experiencia que haya estado inmersa en una proyección de inseguridad (por ejemplo, no puedo respirar en este ascensor) puede convertirse en el desencadenante de una ansiedad y pánico futuros. El miedo y la ansiedad excesivos normalmente producen reacciones de evasión (referidas como evasión fóbica), ya que la persona intenta evitar cualquier circunstancia que le produzca esta acción intensa y debilitadora. En el caso de la ansiedad social, el miedo/desencadenante tiene un vínculo social. Por ejemplo, miedo a la desaprobación, a hablar en público, a los baños públicos, acciones que pueden contemplarse como catástrofes.

Consideraciones físicas y médicas

Si bien la ansiedad es un trastorno emocional físico, es importante descartar cualquier condición médica que pueda provocarla. Los problemas con las glándulas suprarrenales, las tiroides, las afecciones cardiacas, las enfermedades respiratorias o la hipoglucemia son posibles causas físicas subyacentes. Si todo le va bien en la vida y no puede identificar ningún factor estresante o ninguna razón para preocuparse y, sobre todo si sospecha que puede tratarse de un problema físico, no estaría de más realizarse un chequeo médico. Cabe añadir también que muchas recetas médicas, fármacos que venden en las farmacias (sobre todo inhaladores y estimulantes para perder peso) y otros productos químicos (cafeína, drogas ilícitas, etc.) pueden causar también ansiedad. Pregúntele a su médico si podría ser que alguna de las medicinas que toma le provocase ansiedad.

Tanto si necesita considerar una medicación antiansiedad como si no, es importante realizarse una revisión médica. Si la intensidad de su ansiedad o pánico está interfiriendo de forma notable en su capacidad para trabajar, relacionarse o relajarse. Por ello, explorar la posibilidad de medicarse suele ser una sabia elección. No intente evaluarlo usted solo. Si tiene la menor duda, cualquier profesional de la salud mental le ayudará a determinar si la medicación es una elección apropiada en su caso.

Existen muchas medicinas disponibles para tratar la ansiedad y, dependiendo del tipo de ansiedad que padezca, algunas pueden tener mayores beneficios que otras. Por ejemplo, los inhibidores de monoamina oxidasa y los antidepresivos tricíclicos funcionan bien para los pacientes de pánico. Los antidepresivos tricíclicos, los inhibidores de monoamina oxidasa, los tranquilizantes y los anticonvulsivos también se han utilizado con éxito en el tratamiento de la ansiedad. Al igual que con la medicación para la depresión, tenemos que tener en cuenta que por sí sola la medicación no puede resultar tan efectiva como cuando se combina con un programa terapéutico.

Tanto si está en tratamiento debido a ataques de pánico intensos y debilitantes, si está tomando medicación a causa de un trastorno de ansiedad general o si desea enfrentarse a sus ansiedades naturales diarias, la Autopreparación reducirá significativamente o eliminará la ansiedad anticipadora, base de todos los trastornos de ansiedad.

Sugerencia para la preparación

Utilizando las descripciones de este capítulo, observe cuántos síntomas de ansiedad puede reconocer en sus luchas diarias. Realice una lista de los síntomas, incluyendo tanto la ansiedad destructiva como la natural. Guarde esta lista para referencia futura y actualice la lista para controlar su progreso de forma periódica a lo largo de la preparación (más o menos una vez al mes).

Emplee una tabla sencilla, como la que le proponemos a continuación, para registrar sus síntomas. Su objetivo será eliminar o minimizar todas las entradas que se encuentran bajo el título «Ansiedades destructivas». Siempre quedarán algunos síntomas bajo el título «Ansiedades naturales», pero eso es normal. Sin embargo, con el tiempo querrá saber si sigue siendo presa de ciertas pautas de ansiedad y comprender mejor su funcionamiento le ayudará a determinar cuándo es suficiente.

Ansiedades destructivas	Ansiedades naturales
1. Miedo intenso a hablar con el sexo opuesto.	1. Un poco de ansiedad ante la idea de que me saquen las muelas del juicio.
2. Palpitaciones del corazón, sudoración o pánico cuando hay un atasco en la carretera.	2. Nerviosismo cuando un hombre se acerca al coche a pedir dinero.
3. Incapacidad para conciliar el sueño, preocupación sobre si todo va a ir bien, si va a tener éxito.	3. Preocupación sobre la enfermedad de un ser querido.

6

La personalidad
sensible al control

En vez de prejuzgar su pensamiento, vamos a empezar con este breve
cuestionario:

V F Suelo mostrar una conducta compulsiva.

V F Me afecta que las cosas vayan mal.

V F Cuanto más caótica es la situación, más ansiedad y tensión
siento.

V F Me preocupo mucho.

V F Me acusan de ser un pensador que lo ve todo en blanco y negro.

V F Siempre estoy dándole vueltas a la cabeza, imaginándome cosas, pensando, cavilando, etc.

V F Me cuesta confiar.

V F Suelo sospechar de todo.

V F Me gusta que las cosas se hagan como se planean.

V F No puedo decir «no».

V F Tengo problemas para llegar a la hora.

V F Me gusta ser yo el que conduce.

V F Acostumbro a estar tenso y rígido.

V F Soy una persona de acción.

V F Hago lo imposible para evitar las confrontaciones.

V	F	Suelo ser demasiado sensible.
V	F	Me gusta tener la última palabra en una discusión.
V	F	Siempre tengo una razón o una excusa para hacer lo que hago.
V	F	Diría que hablo mejor de lo que escucho.
V	F	Soy muy impaciente con los errores de otras personas.
V	F	Siempre creo que tengo razón.
V	F	Soy demasiado vulnerable.

Cuente cuántas respuestas «verdaderas» ha marcado. Un resultado de 10 o más respuestas sugiere que no es demasiado sensible al control. En su caso, la Autopreparación le puede enseñar a cultivar aún un sentido más marcado de la confianza en uno mismo y la espontaneidad.

Un marcador entre 11 y 16 sugiere que posee un grado moderado de sensibilidad al control. Para usted, el control es un aspecto limitante de su vida y la Autopreparación puede marcar la diferencia en su sentimiento de bienestar y mejorar su sentido de seguridad personal.

Un marcador de 17 o más sugiere que es especialmente sensible al control. Para usted, la vida está marcadamente comprometida por una necesidad de mantener el control. La Autopreparación cambiará su punto de vista, dejando de necesitar el control y sintiéndose más seguro de sí mismo.

Cuando el control se descontrola

A la mayoría de las personas les gusta tener el control y se trata de un sentimiento normal y saludable. Evitar el daño, anticipar el peligro, vestirse para las inclemencias del tiempo o aprender a llevarse bien con la gente son aspectos saludables del control. Desde el punto de vista de la evolución, el deseo para mantener el control parece tener un significado de adaptación. Perder el control, sobre todo en época de nuestros ancestros, hubiese derivado en daño personal, familiar o tribal. La supervivencia dependía de *no* ser vulnerable y, desde luego, tenía mucho sentido mantener el control durante la Edad de Hielo. Aún sigue teniendo sentido hoy en día y los seres humanos odiamos sentirnos sin control.

Resulta obvio que el deseo por llevar una vida menos vulnerable y más controlada no es un problema. Por otro lado, cuando la inseguridad, la duda, la desconfianza o el temor provocan que la persona vea el peligro en lugares seguros, que anticipe sólo lo negativo de la vida o que se convenza de que está condenada al fracaso, entonces la necesidad de control pasa del sano deseo de decir «*Quiero...*» a la declaración compulsiva «*Tengo que tener el control*».

La sensibilidad de las personas ante una pérdida de control varía significativamente. A un extremo están las personas que, además de ser insensibles a la pérdida de control, son inconscientes de ello. ¿Recuerda a Tom, el hombre que perdió la mano en un accidente industrial? Desde luego no se puede ser más insensible ante la pérdida de una mano.

Asumiendo que usted no es como Tom y que se enfrenta a la ansiedad o a la depresión, seguramente usted será lo que denomino una *persona sensible al control*. Sencillamente una persona sensible al control reacciona de una forma mucho más fuerte ante cualquier pérdida de control, o percepción de pérdida, manifestando síntomas de ansiedad y depresión (miedos, aprehensiones, preocupaciones, etc.). Esta sensibilidad puede ser aprendida o puede darse por naturaleza, por predisposición de la persona.

Una predisposición psicológica es una tendencia innata hacia ciertas reacciones o conductas. ¿Ha estado alguna vez media hora en una guardería? Si su respuesta es positiva, seguramente habrá notado toda una serie de disposiciones psicológicas: líderes, seguidores, habladores, pensantes, introvertidos, extrovertidos, llorones, quejicas, todos destinados a moldear algún día la personalidad adulta de estos niños. Sabemos, por ejemplo, que los hijos de padres con trastornos de pánico tienen siete veces más probabilidades de padecer ansiedad. Estos niños pueden poseer una baja protección inherente a la ansiedad, lo que les hace más susceptibles a la inseguridad y a la depresión. Están predispuestos a la ansiedad. De forma similar, los niños cuyos padres han sufrido un importante episodio depresivo tienen entre 1,5 y 3 veces más probabilidades de desarrollar depresión. No obstante, es conveniente citar que no es necesario tener una predisposición a la ansiedad o la depresión para desarrollar una personalidad sensible al control, puesto que las circunstancias estresantes de la vida, sobre todo la pérdida, pueden iniciar la misma reacción. Cualquier persona, ante suficiente inseguridad, es susceptible de desarrollar una personalidad sensible al control.

Sean cuales sean los orígenes, la ansiedad y la depresión pueden frenarse cuando empiezan, en los pensamientos inseguros que usted *permite* que se propaguen por la cabeza. Aun así, la adversidad, la pérdida e incluso la predisposición psicológica no son sentencias de por vida, ya que sólo constituyen tendencias hacia ciertas conductas. Tanto si ya lo sabe como si no, depende de usted decidir si va a seguir avivando las llamas de la inseguridad o si va a apagar el fuego. Usted siempre tiene una elección y ya lo verá.

En la lista que observará a continuación, encontrará algunas estrategias típicas de control. La lista no es ni mucho menos exhaustiva, pero le ofrecerá una idea sobre la diversidad de control que existe. Las tendencias enumeradas a la izquierda suelen estar más asociadas con la ansiedad, mientras que las de la derecha se asocian a la depresión. Tenga en cuenta que no hay ninguna regla de oro y que su perfil defensivo concreto (que establecerá en los siguientes capítulos) será el que le mostrará sus preferencias particulares para mantener el control (preocupación, dilación, evasión, etc.). En los capítulos sucesivos, encontrará una explicación completa sobre cómo estas y otras tendencias similares fomentan la pérdida de control en vez de establecerlo.

- Preocupación, cavilación - imprudencia, despreocupación, indiferencia por las circunstancias de la vida.

- Pensamiento rígido, testarudo - indecisión, dudas excesivas.

- Compromiso excesivo - evasión de las circunstancias de la vida.

- Aislamiento social - dependencia excesiva.

- Frugalidad excesiva - exceso de gasto.

- Perfeccionismo - descuido.

- Adicción al trabajo - letargo.

- Falta de emociones - emociones excesivas.

- Ambición excesiva - apatía.

- Riesgos excesivos - miedo excesivo.

- Arrogancia - baja autoestima.

- Desconfianza - confianza ciega.

Una forma de vida agotadora

Una vez quiere controlarlo todo para combatir las dudas y la inseguridad personales, empieza a construir una vida de tormento. Eso ocurre cuando, en vez de vivir de forma espontánea, momento a momento, empieza a estar atado por pensamientos como «¿Y si pierdo mi trabajo?», «Sé que no le voy a gustar», «Nunca voy a avanzar», «¿Qué sentido tiene seguir adelante?» que, en vez de clarificar su mente, fomentan un mundo opaco, nublado y distorsionado por percepciones de inseguridad.

Anticipar los baches de la vida puede sonar atractivo si uno quiere ser invulnerable, pero no se sorprenda si se obsesiona tanto con evitar los baches que después no ve el signo de stop en una intersección. Recuerdo mi primera sesión de terapia. Era un interino y estaba muy nervioso. Aunque estaba en un lugar bastante informal, opté por ponerme un traje azul de tres piezas, una camisa blanca y una corbata elegante y después entré en la consulta sintiéndome todo un «psicólogo». Las cosas parecían ir bien y acabé muy satisfecho cuando terminó la hora. Cuando me levanté para acompañar a mi paciente hasta la puerta, vi algo blanco que resplandecía sobre un fondo azul. ¡Había realizado mi primera sesión de terapia con la cremallera bajada! Me sentí fuera de control.

El control requiere esfuerzo, mantenimiento y vigilancia, por lo que se convierte en un modo de vida agotador. Así que, ¿por qué hacerlo? Eliminando, o al menos minimizando, los riesgos a la vergüenza, al fracaso, al rechazo, las personas que padecen sensibilidad al control creen que son ellos los que controlan su destino. Esta noción de control del destino y reducción de las ansiedades de la vida es la que forma ese fuerte hábito. Uno se queda enganchado a esa rueda de creencias de manera que la única salvación es conseguir más y más control.

Trampas que conviene evitar

Cuando la necesidad de controlar llega a ser demasiado importante, la persona se vuelve susceptible a determinadas trampas: las trampas del pensamiento. Sin una conciencia notable, estas trampas pueden convertirse pronto en hábitos y contribuir a sus dificultades ya existentes. Por ello, reconocerlas puede alertarle del peligro a medida que avanza en la Autopreparación.

Eche un vistazo a estas trampas comunes y empiece a desarrollar una conciencia y sensibilidad hacia ellas: frases con «debería», hipótesis negativas, visión en túnel, leer la mente, obligaciones, pensamiento en blanco y negro e insultarse.

Frases con «debería»

«Debería ser una hija mejor.» «Debería tener más éxito.» «Debería ser más listo.» «Debería perder unos kilos.» Las frases con «debería» evocan un sentido de culpabilidad y fracaso. Puesto que dañan su persona, estas afirmaciones generan ansiedad y depresión. Aunque puede ser verdad que podría mejorar su persona en algunos aspectos, cuando se dice a sí mismo que «debería» mejorar, se lo está diciendo de un modo negativo, es decir, que no es lo suficiente bueno ahora y que sólo podrá conseguirlo si hace tal o tal cosa.

La alternativa sana es evitar estas frases con «debería» y sustituirlas por afirmaciones más positivas como «Sería una buena idea ser más atento con mi madre», «Me gustaría tener más éxito», «Me gustaría ser más listo; quizás podría ir a clases nocturnas», «Quizás me apunte al gimnasio y deje de comer toda esa comida basura». Estas alternativas no niegan en qué punto se encuentra en el presente y apoyan el crecimiento y la mejora basada en quién es.

Hipótesis negativas

Otra trampa de inseguridad la constituyen las hipótesis negativas. «¿Y si me preguntan mi opinión?», «¿Y si no consigo el trabajo?», «¿Y si me encariño demasiado?». Las hipótesis negativas son un intento de anticipar problemas antes de que ocurran. ¿Por qué? Porque uno se cree que si sabe lo que ocurrirá antes de que ocurra puede estar preparado para ello.

Entonces, ¿qué hay de malo en anticipar el peligro? Nada si su pensamiento se pudiese limitar a unos cuantos intentos legítimos para resolver el problema. Por desgracia, las hipótesis negativas son como una espiral que enseguida se descontrola, pasando de hipótesis en hipótesis. Cualquier solución posible le presenta otra crisis y acabará viviendo con una angustia y preocupación que generará ansiedad crónica y ésta le dejará abatido. Esto explica por qué la ansiedad y la depresión se suelen experimentar juntas.

Una respuesta mucho mejor sería reaccionar con naturalidad y espontaneidad. La falta de autoconfianza es la que fomenta todas estas hipótesis, y una alternativa mucho más sana sería darse cuenta de que son perjudiciales para la confianza en sí mismo, puesto que le indican que sólo puede estar seguro (en control) si anticipa lo malo antes de que ocurra. La Autopreparación le enseñará a sentirse seguro, sin preocuparse y sin realizar hipótesis negativas, sencillamente teniendo el valor de confiar en su capacidad para enfrentarse a la vida.

Visión en túnel

Tanto la ansiedad como la depresión causan una estrechez de su campo perceptual, así que en vez de contemplar todo el panorama, sólo puede ver aspectos selectivos de la situación. Por ejemplo, un hombre deprimido sólo puede ver sus propios defectos, sin tener en cuenta sus cualidades positivas. «Soy un viejo maniático», «No puedo hacer nada bien». Estas afirmaciones poseen una visión en túnel, ya que, aunque hubiese cierto grado de verdad en ellas, la realidad es que son exageraciones que le impulsan al desequilibrio y a sentirse fuera de control.

La alternativa saludable es ser consciente de que la vida no se limita a un único punto de vista, a una opción o a una solución. Una visión más expansiva requiere cierta práctica. La despersonalización es una herramienta valiosa que puede ayudarle a ver más allá. Al preguntarse cómo podría responder otra persona (piense en alguien con una perspectiva sana) ante esa situación, podrá experimentar un posicionamiento totalmente distinto. La clave está en especular en cómo tal y tal persona reaccionaría ante esta situación y no en cómo *usted* cree que la persona reaccionaría.

Leer la mente

«Sé que me odia.» «Hace eso porque no le importan mis sentimientos.» «La gente se cree que soy aburrido.» Leer la mente es un intento para interpretar las acciones de otras personas *como si* supiésemos lo que piensan. Intentamos eliminar la vulnerabilidad estando alerta para que nunca nos pillen desprevenidos.

Cuando se considera lo fácil que es malinterpretar el pensamiento de uno mismo, empezamos a darnos cuenta de que leer la mente de otra persona es pura ficción. ¿Por qué va uno a llegar a tal extremo? Por dos razones: primero porque su negatividad le ha convencido de que vive en un mundo hostil, así que necesita aprovechar cualquier ventaja para mantener el control, y segundo porque si anticipa lo peor antes de que ocurra, puede sentirse preparado (sentirse con control).

La alternativa más saludable es insistir en la verdad objetiva. Haga preguntas en vez de adivinar. A pesar de lo mucho que lo desee, nunca puede saber lo que piensa otra persona sin preguntárselo. Reconozca que leer la mente no es más que una proyección de su inseguridad y, a menos que esté dispuesto a preguntarle a una persona lo que piensa, debe decirse a sí mismo: «No tengo razones para asumir nada negativo».

Obligaciones

«Tengo que terminar hoy.» «Tengo que tener éxito.» «No tengo elección. Tengo que comprarme ese abrigo.» Las obligaciones son trampas en las que caen sobre todo las personas que padecen ansiedad y representan la base de toda conducta compulsiva. Aunque esté guiada por la ansiedad, una vida compulsiva enseguida se convierte en un modo de vida depresivo.

Las obligaciones se asemejan a la visión en túnel porque el campo perceptual se estrecha según lo que crea que tiene que hacer. Si la visión en túnel limita las elecciones perceptuales, las obligaciones eliminan de golpe el resto de elecciones, por lo que está convencido de que no tiene elección y que sólo podrá aliviar el sufrimiento si consigue su objetivo.

El gastar dinero, limpiar, trabajar o practicar sexo de forma compulsiva pueden ser expresiones de un pensamiento obligatorio que le lleva por el mundo intentando apaciguar su ansiedad. Se dice a sí mismo: «Cuando tenga tal y tal ya estaré bien», pero las obligaciones son mentiras y en cuanto se evapora un objetivo aparece otro. Es importante notar que las obligaciones disminuyen, e incluso eliminan, cualquier alegría o placer por la vida, ya que cuesta mucho conseguir las metas.

La alternativa sana es entender que las obligaciones son intentos fallidos para ganar el control y dirigir en un mundo peligroso. En vez de reconocer y atacar la inseguridad interior, la externalizamos y nos convencemos de que podemos ser personas seguras si hacemos o conseguimos tal cosa. Ahora bien, la seguridad no entra de fuera para dentro, sino de dentro para fuera.

Pensamiento en blanco y negro

«Nunca seré feliz.» «La vida siempre será deprimente.» «Nunca me sentiré seguro.» El pensamiento en blanco y negro es impulsivo y se debe a que, cuando uno está ansioso o deprimido, se impacienta. Entonces las cosas son buenas o malas, positivas o negativas, siempre o nunca y fin de la discusión. Con un pensamiento en blanco y negro no tiene que vivir con ambigüedad.

El problema es que la vida no es en blanco y negro y, al eliminar los matices de colores, se elimina todo un abanico de posibilidades. La persona insegura está más preocupada en controlarlo todo que en ser precisa e, incluso si emite un juicio negativo, al menos zanja la cuestión: «Eso es. Soy un fracasado».

La alternativa saludable es aprender a tolerar cierta ambigüedad en la vida y reconocer que una decisión impulsiva, si es la errónea, sólo creará más problemas. Al insistir en una visión más objetiva de la vida, que casi nunca es blanca o negra, puede empezar a reconocer que su ansiedad no tiene por qué dictar su pensamiento. Deje de tratar sus pensamientos como hechos y sea más sincero consigo mismo, percibiendo que su impulsividad es sólo un hábito. Una vez haya abandonado sus respuestas intuitivas, respire profundamente y sorpréndase de las numerosas opciones que parecen salir a la superficie.

Insultarse

«Soy un estúpido.» «Soy un gallina.» «Soy demasiado alto/bajo y delgado/gordo.» Estos son ejemplos de insultos que puede lanzar contra usted mismo, algo que no es más que un truco. Si se insulta a sí mismo, así puede darse por vencido. Si es un estúpido, un gallina, un perdedor o un tonto, entonces se crea una excusa para no estar a la altura de las circunstancias y para abandonar. Al igual que ocurre con el pensamiento en blanco y negro, tanto la ansiedad como la depresión promueven la impaciencia por poner fin a una discusión porque se autoconvence de que no puede vivir así.

Como en el pensamiento en blanco y negro, necesita reconocer el hábito impulsivo que motivó la conducta. La alternativa saludable sería ponerse duro y decirse a uno mismo que no está permitido insultarse a sí mismo. ¡No lo va a permitir! Insultar es sólo un truco para evitar la ansiedad, así que no se permita caer en él, puesto que el insultar erosiona la confianza y hace la vida aún peor. Es un juego entre perdedores, así que deje de luchar contra usted mismo porque no vale la pena.

Las personas sensibles al control pueden ser muy duras consigo mismas, sobre todo cuando su calidad de vida se deteriora hasta tal extremo que pinchar una rueda o no pagar una factura puede causar angustia, pánico o desesperación. A medida que las estrategias de control continúen fallando y frustrándole y se encuentre más asaltado por la preocupación o la depresión, la ineludible verdad empezará a emerger: el control es un espejismo. La realidad es que la vida no se puede controlar y la ansiedad y la depresión son tan efectivas controlando la vida como usted lo es desafiando la gravedad. Al igual que usted nunca podrá flotar en el aire, sus preocupaciones y evasión no resolverán nada. La lucha por controlar la vida no es nada más que un intento para desafiar la gravedad psíquica.

Reflexión respecto a la Autopreparación

El control es sólo un espejismo de seguridad.

Sólo quería sentirse seguro

En nuestra primera sesión, en el centro de rehabilitación, Henry me dijo que iba a robar un banco. Lo que me pareció una locura aún mayor era que no quería hacerlo por el dinero, sino porque quería que le pillaran. Henry se había pasado la mayor parte de su vida adulta en la cárcel y ahora, en libertad provisional, le sobrevenían severos brotes de depresión y pánico. No podía enfrentarse a su vida fuera de la «jaula». Fuera, tenía que tomar decisiones, decisiones que usted y yo damos por asumidas, como dónde, cuándo y qué comer, qué hacer cada tarde, a qué hora se iba a dormir, cuándo se iba a levantar, es decir, decisiones cotidianas.

De alguna forma, en los treinta y tres años que había cumplido en una prisión federal en Estados Unidos, Henry se había rendido a su derecho a controlar su propia vida; se había convertido en un ser institucionalizado. Todos y cada uno de los aspectos de su vida estaban dictados por las normas de la prisión. No tenía que pensar en nada. Se convirtió en un niño y la prisión en sus padres. Por eso, se sentía a gusto, a salvo, pero fuera no tenía recursos personales y se sentía expuesto al peligro y fuera de control. Cuando le conocí estaba obsesionado con querer volver a casa.

De repente, un día desapareció. No asistió a nuestra sesión. Le busqué por la sala, pero no estaba. Nadie en el centro de rehabilitación sabía dónde estaba o no querían decirlo. Henry sólo había asistido a un par de sesiones anteriormente, de forma que casi no habíamos tenido tiempo para conocernos. Ya no volví a saber nada de él.

Estoy convencido de que Henry volvió a ingresar en prisión. Seguramente algún pobre cajero está traumatizado por la pinta terrorífica de un hombre que no le presionó más que con el dedo debajo de un abrigo mientras pedía dinero. El hecho de que caminase despacio al salir del banco seguramente sigue siendo un misterio para el empleado, pero lo positivo es que cogieron al criminal y ahora está en alguna prisión, por fin en paz. Ahora tomará el desayuno a las 6:15, trabajará en la lavandería, parará para el almuerzo y para la cena, verá un poco la televisión y a las 11:00 le apagarán las luces para dormir. No tendrá que pensar en nada, se dormirá fácilmente.

No sea como Henry.

Todo es relativo

La pérdida de control es una experiencia relativa. Para un adolescente, un grano no significa nada mientras que para otro puede ser el fin del mundo. Hay algunas experiencias cotidianas y normales que para algunas personas significan sentir una pérdida de control:

- Quedar atrapado en un atasco.
- Olvidar el nombre de alguien.
- Llegar tarde u olvidar una cita.
- Hablar en frente de un grupo.
- Vomitar.
- Ser incapaz de imaginarse algo.
- Sentirse avergonzado o humillado.

- Tener dificultad con las confrontaciones.

- Perderse.

- No tener suficiente dinero.

- Suspender un examen.

- Decir no.

- Admitir un fallo.

¿Y para usted? ¿Significa perder el control? ¿Es usted una de las víctimas del control, intimidada por la ansiedad o por pensamientos o temores deprimentes? Como le sucedía a Henry, quizás no se dé cuenta de hasta qué punto el control rige su vida. Quizás se siente un poco ansioso de vez en cuando, ocasionalmente deprimido, atormentado, impotente, pero nunca se ha dado cuenta de que el culpable es un miedo neurótico a perder el control. Cuando empiece a entender la fuerza que se esconde tras su sufrimiento, tanto si es crónico como esporádico, será consciente de que tiene elecciones. En vez de buscar la protección y el aislamiento del control, puede decidir recobrar unas ganas naturales y gregarias por vivir.

Su inseguridad no es más que un hábito que lleva sobreviviendo mucho tiempo, pero, como ocurre cuando se altera cualquier hábito, ya sea el fumar, el comerse las uñas o el aprender a llevar una vida segura sin ansiedad ni depresión, necesitará romper con el pensamiento destructivo asociado al hábito y sustituirlo por un pensamiento basado en la realidad saludable y, aún más importante si cabe, objetivo. Eso es lo que la preparación hará por usted. Recuerde que la ansiedad y la depresión no son tan amenazadoras ni misteriosas como pudo creer en un principio; sólo son malas costumbres.

Sugerencia para la preparación

*Anotar experiencias en las que haya sentido
una pérdida de control.*

Pronto realizará un seguimiento formal de su preparación, pero por ahora basta con ir anotando la información que será esencial para sus posteriores esfuerzos de Autopreparación.

Empiece anotando cualquier experiencia que haya tenido en la que haya sentido una pérdida de control. Por ahora, busque cualquier experiencia que describiría como causante de ansiedad o depresión. Si no está seguro, escríbala de todas formas. No hay nada malo en tener dudas.

Podría utilizar el siguiente ejemplo como guía:

Experiencia de pérdida de control	Reacción
9:45 de la mañana. Conduciendo hacia el trabajo. Atrapado en un atasco.	Miedo intenso, frustración, sentimiento de inquietud, nerviosismo, apretujamiento del volante.
3:00 de la tarde. El jefe me mandó rehacer el informe.	Fuerte sentimiento de pánico. ¡La he cagado! Mi jefe no va a tolerar esta conducta durante mucho tiempo. ¿Qué voy a hacer?
7:00 de la tarde. Mi cuñada ha llamado para pedirme dinero.	Quería decir que «no», pero no he podido. Me sentía atemorizado, fuera de control y con miedo. ¡No puedo permitirme prestarle dinero!

Trampas del pensamiento

Podría utilizar la siguiente plantilla para llevar un seguimiento de cualquier trampa de pensamiento que haya percibido. Pronto empezará a reconocer que tiene preferencias definidas.

Si se siente cómodo compartiendo este ejercicio con su pareja o con una persona querida, seguro que su percepción será una ayuda inestimable. ¡Pregúntele, vale la pena!

Trampas del pensamiento	Situaciones y ejemplos
Frases con «debería»	
Hipótesis negativas	
Visión en túnel	
Leer la mente	
Obligaciones	
Pensamiento en blanco y negro	
Insultos	
Diversas trampas personales	

7

La relación entre control e inseguridad

En los capítulos sucesivos, encontrará que la disposición sensible al control siempre se ve alimentada por un pensamiento inseguro. El caso inverso también es cierto: cuanto más seguro sea (o se haga), menos preocupaciones tendrá y menos ansioso se sentirá por tener el control. Dado que la inseguridad a menudo es bastante sutil, e incluso inconsciente, es conveniente realizar el cuestionario de la inseguridad que le proponemos a continuación con el fin de evaluar su coeficiente de inseguridad.

Responda a cada pregunta según considere que es básicamente verdadera o falsa:

V   F   Suelo ser tímido y estar incómodo con extraños.

V   F   Prefiero quedarme en casa que salir por ahí a la aventura.

V   F   Me gustaría ser más inteligente.

V   F   Nunca tengo suficiente dinero.

V   F   Normalmente soy pesimista.

V   F   A menudo deseo ser más atractivo.

V   F   No creo que soy tan bueno como los demás.

V   F   Si la gente me conociese de verdad, pensaría de otra forma.

V   F   En las relaciones, suelo pegarme demasiado a la otra persona.

V   F   Me da miedo establecer relaciones estrechas con los demás.

V   F   Sería mucho más feliz si no me preocupase tanto.

V   F   Tengo muchos miedos.

V   F   Escondo mis sentimientos.

V   F   Si alguien está callado, puedo pensar que está enfado conmigo.

V   F   A menudo me pregunto lo que las personas piensan *de verdad* de mí.

Un marcador de 1 a 5 respuestas verdaderas indica un grado tolerable de inseguridad. Si es su caso, utilizará este libro como expansión de la personalidad en vez de tratamiento. Un resultado de entre 6 y 10 respuestas verdaderas señala un nivel moderado de inseguridad. Esta inseguridad seguramente estará menguando su capacidad para llevar una vida efectiva, pero, en este caso, este libro le ayudará a modificar significativamente su visión y a experimentar el mundo. Por último, si ha obtenido un marcador de 11 a 15 respuestas positivas, significa que puede padecer una interferencia sustancial debida a la inseguridad. Su autoestima se ha erosionado debido a la inseguridad y es obvio que necesitará reestructurar sus pensamientos y percepciones.

Inseguridad + Control = Una mezcla tóxica

Quizás se ha dado cuenta de que se está volviendo todo un perfeccionista, evitando a toda costa cualquier error o problema. Otras veces, puede percibir que se preocupa por las hipótesis negativas, intentando anticipar lo que le deparará la vida. También hay veces en las que es consciente de que está martirizando a su pareja, por ejemplo, insistiendo tanto en elegir el sitio de vacaciones. Todas estas expresiones nos demuestran cómo puede controlarnos la inseguridad.

A veces nuestra necesidad de control es mínima, sobre todo cuando nuestras vidas están tranquilas y nos sentimos seguros. Sin embargo, cuando el estrés asoma su fea cara y se pega a la inseguridad, el control puede empezar a causar graves problemas. Está claro que cierta cantidad de inseguridad es inevitable en la vida. Si pensamos en la cada vez más compleja realidad del mundo, en las innumerables experiencias de prueba y error que le sucedieron durante el crecimiento, en los traumas, las desgracias, los contratiempos y, cómo no, la realidad de que los padres no son perfectos, entonces vemos las razones por las cuales la inseguridad es inevitable. Desde las alarmas contra robos a las escuelas de kárate pasando por detectores de metales, mazas, *sprays* de autodefensa, etc., nuestra cultura refleja esta aprehensión cada vez mayor. Nos hemos convertido en la Generación I, Generación Insegura.

Un poco de inseguridad no es necesariamente negativo, pero hay que prestar atención a la palabra clave «un poco». Esa pudo haber sido la motivación para que nuestros primeros ancestros se decidiesen a ir en grupos con el fin de defenderse del mundo hostil, tanto real como imaginario. En nuestras vidas, un poco de inseguridad también puede utilizarse con un buen propósito. La ansiedad respecto a engordarse un poco o respecto a los riesgos que conlleva fumar puede emplearse como motivación para un cambio positivo. Sólo cuando la ansiedad se pasa del límite es cuando la persona empieza a sufrir. En vez de estar preocupado y querer perder peso o dejar de fumar, la persona se obsesiona, se deprime o experimenta verdadera ansiedad e incluso pánico, ya que sus pensamientos cotidianos están repletos de negatividad e impaciencia.

En primer lugar, es de gran relevancia entender qué es lo que está deteriorando su vida y reconocer hasta qué punto se siente inseguro. La siguiente progresión refleja varios grados de inseguridad, que van de normal a ansioso y de éste a deprimido. ¿Qué estado refleja mejor su pensamiento?

Quiero gustar a los demás → Me importa lo que la gente piensa de mí → Me preocupa lo que la gente piense de mí → Sé que voy a meter la pata... que no voy a caer bien → Haga lo que haga, no le importo a nadie → ¡La gente me odia!

Reflexión respecto a la Autopreparación

En la vida no existe la seguridad absoluta, así que ¡deje de actuar como si existiese!

Todo empieza con la percepción

Las personas sensibles al control se estremecen ante el pensamiento de no poder controlar sus vidas. Trabajan duro para intentar ser invulnerables y se aíslan construyendo muros cada vez más altos, diciéndose a sí mismos: «Sólo un poco más y después ya me sentiré seguro». ¿Por qué creen que la lotería se ha convertido en ese gran fenómeno? Millones de personas compran a diario décimos de lotería, guardan sus números sagrados y se alejan pensando: «Quizás hoy gane el gordo y entonces ya no tendré que preocuparme más».

Si piensa que puede vencer su inseguridad desde fuera (ya sea consiguiendo un trabajo mejor, ganando más dinero, comprándose un coche despampanante, atrayendo a esa persona especial...), se equivoca completamente. También suele ser bastante común que las personas sensibles al control asuman que la respuesta a su problema llegará pronto. Algún día, alguien tendrá el secreto que les liberará, como si se tratase de un abracadabra. Es difícil convencer a las personas que no tienen confianza en sí mismas para que crean en ellas.

Sam, un programador informático de 40 años, no podía dejar de pedir ayuda. Estaba volviendo loca a su mujer, a sus amigos e incluso a sus hijos. Todo lo que decía continuamente era: «¿Estoy mejorando?», «¿Qué me ocurre?», «¿Tengo que ir al hospital?». Cuanto más preguntaba, más se tranquilizaba y más compulsiva se volvía su conducta. Fue la mujer de Sam la que decidió llamarme porque su familia ya no podía aguantar más el acoso de Sam. Estaba claro que necesitaba romper ese ciclo de buscar respuestas fuera de él y, cuando lo logró, con un poco de esfuerzo, se dio cuenta de que esas eran las respuestas que buscaba. Habían estado allí ese tiempo, pero no las podía ver porque le faltaba confianza para creer en sí mismo.

El alcohol y otras drogas

El alcohol y otras drogas son especialmente peligrosas para los individuos con sensibilidad al control. No hay que ir muy lejos para entender por qué. ¡Qué podría ser más atractivo para una persona guiada por el control que no preocuparse por nada! ¡Ah! ¡El alivio de sentirse liberado! Las drogas, y sobre todo el alcohol, reducen la ansiedad produciendo una actitud arrogante y distante (una actitud en la que controlar no es tan importante como sentirse bien y mantenerse así). Si su vida está guiada por la ansiedad y la depresión, es un candidato potencial para probar el néctar del demonio, tal y como un amigo mío, miembro de Alcohólicos Anónimos, lo denomina.

Conocí a Randy en un centro de rehabilitación de alcohólicos en San Diego, donde yo estaba trabajando. Era un electricista de veintiocho años en paro que hacía poco que había acudido al centro. Randy era una persona increíblemente insegura y temerosa de la vida, si bien cuando estaba borracho decía las cosas de otra forma:

«Cuando bebo no pienso en nada. Nada me importa, sólo beber. Antes solía salir con los amigos, sobre todo cuando tomábamos drogas, pero luego yo me metí más en la bebida porque quería sentirme bien solo. Las personas me parecían un estorbo, dejé de ser social. *Lo único* que me importaba era emborracharme. Nada más. Me daba igual mentir, robar, hacer daño, mientras tuviese bebida. Sé que hice algunas cosas horribles, pero cuando bebía todo me daba igual.

Estar sobrio fue otra historia. Hace unos seis meses, intenté estar sobrio e incluso fui a un par de reuniones de Alcohólicos Anónimos, pero como tenía esta actitud no me gustaba estar en una sala llena de borrachos. Me sentía diferente. Creía que podía controlar la bebida. ¡Sí! ¡Era diferente! Mi padre siempre me estaba dando la lata con que trabajase porque tenía que pagar facturas y las agencias de cobro me llamaban constantemente... no podía soportarlo. Cuando peor iban las cosas, más ganas tenía de beber. Los últimos meses estaba siempre borracho. Hace unas semanas me desperté aquí. Empecé a beber en Boston y terminé aquí. No tenía ni idea de cómo llegué ni de qué había hecho durante el trayecto. Lo único que sé es que mi foto podría estar ahora colgada en una comisaría. Tengo miedo. Mucho miedo.»

Antes de caer en el alcohol, Randy se había sentido muy ansioso sobre su despido. Su autoestima estaba tan baja que evitaba cualquier tipo de acto social. Al principio, la marihuana le liberó un poco de la ansiedad, de forma que empezó a ir a las discotecas. Su ritual era ponerse hasta arriba de marihuana, ir a una discoteca y beber toda la noche. Al principio le gustaba la idea de expulsar sus desgracias como si se tratase de una serpiente que muda su camisa. Empezó a vivir sólo para salir de noche. Dormía todo el día y se iba de juerga por la noche. A medida que iba agotando sus ahorros, fue dejando el hábito de la marihuana y se convirtió en un bebedor de cerveza y chupitos.

Durante un tiempo, Randy se pensaba que se comía el mundo. Le encantaba salir, ir de fiesta, estar con mujeres, jugar a billar y conocer gente nueva. No sentía ningún dolor siempre y cuando bebiese alcohol y fumase un poco de marihuana. Con lo que no contaba era con que, cuanto más bebía, más le controlaba la bebida.

Cuando se trata de inseguridades de la vida, quizás en el último lugar en el que puede encontrar una respuesta sea en el fondo de una botella de whisky. Las drogas y el alcohol son peligrosas porque le calman de todas las luchas y le ofrecen una huida anestésica. Por desgracia, para poder permanecer en este mundo surreal sin ningún tipo de implicación, hay que estar colocado. Cuanto más confusa es la vida, más necesidad se siente de escapar y, como los adictos acaban comprendiendo, lo que parece una salida se convierte en una prisión.

Sólo hay una salida aceptable y es desmantelar la maquinaria que produce la ansiedad y la depresión. Se trata de un entramado que está gobernado por una parte primitiva y destructiva de su personalidad, lo que yo llamo el Niño Inseguro. La mejor forma para apagar el motor es cambiar al conductor.

Mientras su Niño Inseguro campe a sus anchas, guiando su vida, estará buscando esa «pausa», y el alcohol y las drogas seguirán tentando al Niño porque no requieren esfuerzos, ofrecen alivio inmediato y crean el espejismo de ser invencible. Si bebe demasiado o consume cualquier sustancia ilegal, está contradiciendo los objetivos de la Autopreparación. ¡Debe dejarlo ya! Si no puede, necesitará seguir un programa (el mejor para el alcohol es el de Alcohólicos Anónimos) o al menos consultar con un profesional de la salud mental.

Si quiere combatir la ansiedad y la depresión, reconozca lo obvio: si da un paso para delante y un paso para atrás, entonces sólo está malgastando sus esfuerzos. La Autopreparación le presentará la Autocharla, una poderosa técnica que es compatible tanto con un programa en doce pasos como con terapia. La Autopreparación le enseñará a escoger y mantener su rumbo hacia un objetivo: la vida.

Reflexión respecto a la Autopreparación

*Nadie, excepto usted, puede hacer
lo necesario para curarle. Cuanto antes se dé cuenta
y lo acepte, antes progresará.*

¡Me está volviendo loca!

Antes de que decida que la inmunidad suena muy bien, déjeme que le cuente lo que le ocurrió a un marido que pensaba que estaba bien inmunizado:

Stacy, una mujer que ya no podía más, me llamó una noche diciéndome si podía impartirles terapia de pareja. Dijo que su marido, Peter, era tan celoso que la intentaba controlar a cada minuto, de forma que no podía pararse donde quería, hablar con los amigos, elegir su propia ropa, etc., porque él la seguía constantemente, escuchaba sus conversaciones telefónicas, leía su correspondencia e incluso comprobaba el cuentakilómetros del coche cada mañana. Estaba arruinando la vida de los dos y ella ya no podía soportarlo más.

Le sugerí a Stacy que hablase con Peter para ver si quería venir a una terapia de pareja. La señora me llamó al cabo de una semana diciendo que su marido creía que no había ningún problema en su matrimonio y que a él le parecía que todo iba bien.

No hay que pensar que Peter no veía más allá de sus narices, sino que él sabía muy bien que asistir a terapia iba a remover las cosas y sacar los trapos sucios, algo que podía resultar muy peligroso. Desde su punto de vista, mientras su mujer colaborase con él (es decir, dejase que él la controlase) no había problemas. El control le daba todo lo que quería, el espejismo de una armonía marital, pero desde luego ella no estaba convencida.

¿De verdad tengo que cambiar?

Hágase a usted mismo estas preguntas:

- ¿La necesidad de controlar consume y frustra mi vida?

- ¿He percibido mayor ansiedad, depresión, mal humor o incluso depresión últimamente en mi vida?

- ¿Mi actitud controladora me ha convertido en una persona inflexible?

- ¿Acaso muestran mis relaciones signos de deterioro, de tensión o de disputas, por no decir que se han vuelto hostiles?

- ¿Qué ocurre con mi capacidad de disfrute? ¿Ha disminuido porque mi mente está donde no tiene que estar, ocupada con las hipótesis negativas?

- ¿Estoy desperdiciando mi vida en medio de tanta cavilación y tantos movimientos desesperados?

- ¿Provoca mi impaciencia dificultad, e incluso imposibilidad, para sentirme relajado y divertirme? ¿Necesito un par de bebidas para sentirme más a gusto?

- ¿Tiene que hacerse todo a mi manera? ¿Es un problema delegar responsabilidades?

Si cualquiera de estas preguntas le resulta familiar, entonces significa que posee una personalidad sensible al control. No tenga miedo, tampoco se trata de una pena de muerte, puesto que tan sólo significa que la Autopreparación va a ser muy útil para usted.

La Autopreparación es la solución

Todos sus problemas empiezan y terminan en la inseguridad, en concreto, en las dudas sobre uno mismo. Una vez empieza a dudar de su capacidad para enfrentarse a la vida, está destinado a compensarla mediante el control. Cuanto más dude, más control necesitará para salir adelante en ese mundo traicionero de ahí fuera.

¿Y si le muestro que esa necesidad de control no tiene nada que ver con los problemas que ha intentado resolver durante tanto tiempo? ¿Y si le puedo demostrar que sus deficiencias (esos fallos que percibe para enfrentarse a la vida) son unas malinterpretaciones de sus heridas del pasado? Y aún si cabe más importante, ¿y si le digo que puedo ayudarle a reconocer su capacidad genuina y espontánea para responder frente a la vida de forma victoriosa?

Considérelo. Imaginémonos que una tarde de verano está sentado en la terraza y un mosquito hambriento decide atacarle en el cuello. ¿Qué ocurriría? Sin duda, usted levantaría la mano y lo aplastaría, ¿no es así? No lo pensaría ni un segundo; sencillamente lo haría.

En una de mis expediciones buscando fósiles en Wyoming, me encontré una *tibia allosaurus*. Como estaba muy entusiasmado y atareado con la excavación, no me di cuenta de que tenía un escorpión sólo a un par de centímetros de la cara. Aunque nunca antes había estado pinza con cara con un escorpión, lo reconocí enseguida y tuve una respuesta inmediata. Con la navaja que llevaba, aparté el escorpión y lo mandé, junto con un montón de tierra, volando.

Puesto que había crecido en el área metropolitana de Nueva York, no había tenido demasiada experiencia con escorpiones, pero, aun así, cuando hay que protegerse, los humanos somos máquinas formidables, a menos que la inseguridad y el deseo de control se entrometan. La Autopreparación le enseñará a «apartar los estorbos» con su talento natural para enfrentarse a la vida. Una persona sensible al control, en vez de confiar en los recursos naturales para desafiar los retos de la vida, se apoyará exclusivamente en un recurso: el pensamiento. Por más formidable que sea su intelecto, sólo representa una minúscula isla en un vasto océano de capacidades. Ese océano está compuesto por su habilidad para la autopreservación y la protección automática. La parte más bonita es que no necesita entender ese océano, simplemente debe sumergirse y confiar en él.

Sugerencia para la preparación

Es importante distinguir entre una necesidad normal y sana por controlar y los deseos guiados por la inseguridad. Escribir sus expresiones de control puede ayudarle a ver la diferencia. Si se queda atascado y no encuentra ejemplos, eche un vistazo al cuestionario que iniciaba este capítulo y a los de los capítulos 1 y 6, ya que le pueden ayudar a reconocer una lucha particular que haya tenido ese día.

Utilice el ejemplo que presentamos a modo de guía, pero piense siempre que el éxito en este ejercicio requiere práctica. Busque alguna cualidad compulsiva, desesperada o inflexible que le pueda ayudar a descubrir expresiones guiadas por la inseguridad (por ejemplo, la compulsiva sería «tengo que» frente a la normal «quiero»).

Expresiones de control	Normal	Guiadas por la inseguridad
1. Siempre evito los gérmenes.	☐	☑
2. Me gusta complacer a mi marido.	☑	☐
3. Tengo que complacer a mis amigos.	☐	☑
4. No puedo aguantar tener ni un pelo fuera de su lugar.	☐	☑
5. Pienso en cada moneda que me gasto.	☐	☑

Con efectos de clarificar la información, permítame mostrarle cómo las frases anteriores pueden cambiar de polo:

Expresiones de control	Normal	Guiadas por la inseguridad
1. No quiero coger gérmenes.	☑	☐
2. Tengo que complacer siempre a mi marido.	☐	☑
3. Me gusta complacer a mis amigos.	☑	☐
4. Me gusta que mi pelo esté bien peinado.	☑	☐
5. Intento evitar derrochar dinero.	☑	☐

Tercera parte

Autopreparación: el programa y cómo seguirlo

8

Autocharla

Cuando, por ejemplo, un entrenador de béisbol ve que su mejor bateador empieza a desplomarse mientras los jugadores llegan a la base, ¿qué hace? Pide tiempo muerto y se reúne con el equipo con un único objetivo: tranquilizar a las figuras clave utilizando todas las estrategias y herramientas de las que dispone.

Si por ejemplo se trata de un jugador perfeccionista y sensible, puede que el entrenador intente reafirmar su confianza con un poco de objetividad: «Sabes que puedes hacerlo mucho mejor. Te falta un poco de confianza, pero no pasa nada. Cálmate y concéntrate en el juego. Eres mi mejor jugador, ¿no es así?». Sin embargo, con un individuo de carácter más obsesivo, el entrenador podría decantarse por un acercamiento duro-cariñoso: «¿Sabes cuál es el problema? ¡Piensas demasiado! Deja de pensar y golpea la pelota». Los entrenadores tienen el deber de saber cómo orientar a sus deportistas.

Al igual que un bateador que no tiene un buen día no golpea la bola, usted también puede perder fácilmente la objetividad cuando le invade la inseguridad. «Es demasiado difícil», se dice. «No lo puedo hacer, pero ¿qué voy a hacer ahora? Soy un perdedor.» Ahí es cuando necesita un tiempo muerto, cuando tiene que hablar con su entrenador, pero, dado que usted es el propio deportista y entrenador a la vez, ¿cómo podrá ser objetivo cuando sienta que pierde el control? Podrá conseguirlo si utiliza la Autocharla. La *Autocharla* es una técnica que le permite trabajar consigo mismo, incluso si se siente asediado por la inseguridad y la duda. Con la Autocharla, puede entrenarse para volver a ser saludable, incluso cuando una parte de usted se ha rendido.

Fundamentos de la Autocharla

¿Qué le pasa por la mente ahora? ¿De qué pensamientos es consciente? ¿Puede «oír» esta charla interior? Cuando dice, «No creo que nunca vaya a mejorar» o «¿Por qué iba a quererme? Si soy un perdedor», se está hablando a usted mismo; aunque no mueva la boca, lo hace con su mente. Para poder sentirse afectado por el pensamiento, tienen que ocurrir dos cosas: la primera, usted (una parte de usted) tiene que *escuchar* lo que está diciendo, y segundo, o acepta lo que oye como verdad o lo rechaza.

Una parte de usted habla y otra parte escucha. Puede parecer un poco extraño en un principio, pero si se reflexiona verá que es obvio. Si me digo a mí mismo: «No puedo perder peso, no tengo fuerza de voluntad» y después me siento deprimido, es que he escuchado y aceptado ese pensamiento. También podría haber escogido no escuchar e insistir: «No hay problema, voy a modificar mi dieta» o «Vaya tontería. Estoy bien tal y como estoy». Al entender este simple concepto (que parte de usted habla y parte de usted escucha), empezará a captar la esencia de la Autocharla.

La parte de sus pensamientos que le mete en problemas es la que yo llamo su Niño Inseguro. Permítame que me adentre con más detenimiento en este concepto.

Su Niño Inseguro

Toda esta charla sobre voces, distintas partes de usted y su niño interior pueden haberle dejado un poco confuso y con sensación de fragmentación. Antes de nada, déjeme que le diga que es absolutamente normal y saludable contar con distintos niveles de expresión y conciencia. Piense en la conciencia como si fuese una cámara con una lente de 35 mm. Si tiene un foco manual, podrá ajustar la lente para que el objetivo esté más centrado y las flores de fondo quedarán más borrosas. Si gira la ruleta en el sentido opuesto, el objetivo quedará borroso y las flores empezarán a enfocarse. En su caso, puede que en un momento su Niño Interior sea el objetivo de la foto, mientras que su parte madura se queda desenfocada. Por el contrario, con la Autopreparación, sobre todo trabajando con la Autocharla, aprenderá a centrarse en lo saludable e ignorar lo perjudicial.

Imagínese que alguien le seguía cuando era pequeño y le rodaba en videocámara a cada momento. Si ahora viese esos vídeos, se daría cuenta de que había instantes en los que sentía miedo por estar separado de su madre o cuando escuchaba una discusión de sus padres. En otro vídeo podría verse llorando y sintiendo lástima de usted mismo porque creía que nadie le quería. Esas imágenes, capturadas en vídeo, le mostrarían momentos cruciales de vulnerabilidad que moldearon y dieron forma al ser adulto en que se convirtió.

A pesar de rebobinar y rebobinar las imágenes de vídeo para volverlas a ver, el niño de la pantalla no cambia y siente los mismos miedos, el mismo pánico y las mismas dudas. Como si se tratase de imágenes grabadas, esos momentos de malinterpretaciones, distorsiones y pensamientos primitivos han dejado una huella en su psique y han acabado de dar forma a su hábito de inseguridad.

Al igual que las imágenes del vídeo psíquico, su niño interior será siempre infantil. Ese niño eterno es su Niño Inseguro y, cuando se apodera de su pensamiento, usted sufre. ¿Por qué? Porque su Niño sólo posee una percepción del mundo, esa imagen primitiva, distorsionada y anticuada que quedó capturada en la videocámara. La Autocharla le enseñará todo lo necesario sobre su Niño y, aún más importante, le mostrará cómo separarse del hábito de adoptar la visión que su Niño tiene del mundo. Es decir, le dirá cómo tiene que apagar el vídeo.

Con la práctica, empezará a notar claramente el carácter infantil de sus pensamientos problemáticos. Al igual que su personalidad externa, la personalidad del Niño Inseguro también se manifiesta de distintas formas, como si se tratase de un mosaico con sutiles matices. A veces, puede escucharse a sí mismo quejándose: «A nadie le importa lo que necesito. Nadie me ayuda nunca. ¿Por qué tengo que esforzarme tanto?», y a veces reconocerá el berrinche infantil: «No, no voy a rendirme» o «Vale, pues iré a casa de tu madre, pero no voy a abrir la boca». En otros momentos puede oír a ese niño aterrorizado: «No puedo salir adelante. ¿Por qué me tiene que pasar esto a mí? ¡Que alguien me ayude!». De la misma forma que el mundo contempla su personalidad externa como única, también deberá reconocer su otra personalidad complementaria con sus peculiaridades: la personalidad interna de su Niño Inseguro.

Autopreparación, principio de curación 1

Todos tenemos un legado de inseguridad, el Niño Inseguro.

Déjeme que le presente a Jenna, puesto que su historia le familiarizará con el funcionamiento de la Autocharla. Jenna, una estudiante de dieciocho años de último curso de bachillerato, asistió a terapia debido a su ansiedad en relación con su novio:

> «Michael es un tío fantástico. No sé por qué no confío en él. Hago que me llame cada noche y él cree que es porque le echo de menos, pero en realidad es porque quiero saber si está en casa. Este verano se va fuera a unos campamentos que organizan en su universidad y sé que algo malo ocurrirá. Nunca me ha sido infiel y sé que me quiere. Parece estúpido, pero tengo el presentimiento de que me va a poner los cuernos. Es una locura porque tengo un novio genial que no ha hecho nada malo y no puedo confiar en él. No como, estoy siempre preocupada y de mal humor con él por cualquier chorrada.»

La parte insegura y desconfiada de la psique de Jenna que le habla es su Niña Insegura. En vez de luchar o desafiar esas distorsiones infantiles, ella las acepta sin duda. De esta forma, su Niña Interior habla, ella escucha y después siente ansiedad.

La Autocharla es una técnica para aprender a liberarse de los pensamientos negativos y encontrar otras alternativas más sanas. Podrá crear confianza en sí mismo si decide reemplazar estos pensamientos paralizantes de inseguridad por un pensamiento más objetivo y racional. Es así de simple.

Autopreparación, principio de curación 6

Pensar de forma saludable es una elección.

En realidad no se puede acabar con un pensamiento negativo verbalmente, sino dirigiendo sus pensamientos, por ejemplo: «No tengo por qué soportar este abuso ni un momento más». Sin embargo, la mayor parte de las veces, sus pensamientos no están dirigidos, sino que son parte de una corriente constante de ensueño: «... creo que voy a coger algo de comer... estoy tan cansado... no quiero ir a trabajar mañana...»

Tómese un momento ahora mismo para oír su charla interior. Puede que esté sentado y pensando: «No puedo seguir leyendo mucho más tiempo. Tengo que hacer esa llamada telefónica...». Su charla interior instiga y dirige acciones, precipita reacciones y genera sentimientos. En el ejemplo anterior, al decirse a usted mismo que tiene que hacer una llamada telefónica, está precipitando un sentimiento de ligera ansiedad. Puede que se sienta un poco tenso, incómodo e incapaz de concentrarse en la lectura. Esta sutil presión es el resultado de los pensamientos/charla que se sucedieron inocentemente en su campo de conciencia como «... tengo que hacer esa llamada...». Ese pensamiento es el que le apartó de su tranquila lectura. En vez de disfrutar del momento, estaba viviendo en la abstracción un momento futuro: pensando en levantarse y hacer una llamada de teléfono.

La Autocharla es una charla directa diseñada para arrebatarle los sentimientos a la inseguridad y ayudarle a centrarse en una visión más apropiada. Salvo contadas excepciones, la mayoría de nuestro pensamiento no está dirigido, sino que son sencillas divagaciones: «Umm, ese café tiene un aroma exquisito...». Pero este no es el caso de los pensamientos no dirigidos que están ordenados por nuestro Niño Inseguro. Estoy seguro de que alguna vez ha experimentado el sentirse atrapado por el pánico o por el mal humor. Nunca dirigió esta experiencia («Creo que voy a dejar que ese comentario me afecte...»), sino que sencillamente le ocurrió. La ansiedad y la depresión son reacciones ante pensamientos indirectos que ordena su Niño Inseguro, pensamientos que parece que ocurren sin más.

Vivir el momento

Tanto si está leyendo un libro, disfrutando de una puesta de sol, escuchando música o jugando con sus hijos, una vez se ha alejado de ese momento porque se siente preso de la inseguridad, ha perdido una oportunidad para relajarse y aproximarse más al mundo. O se está en el momento o no se está. Las personas predispuestas a la ansiedad, por ejemplo, normalmente viven anticipando un futuro negativo y no gozan el momento. En sus charlas interiores (no dirigidas) podrían decirse cosas como las siguientes: «¿Y si caigo enfermo? Entonces perderé mi puesto de trabajo. Todo ese esfuerzo para nada. Sé que me voy a poner enfermo...». Por otro lado, las personas depresivas suelen sumirse en la melancolía de derrotas y rechazos pasados. Ellas tampoco suelen disfrutar del presente y su charla interior sería algo parecido a esto: «Si no hubiese dicho eso. ¿Qué puedo hacer ahora? Nada. Estoy condenado al fracaso».

La ironía es que ni el pasado ni el futuro existen, ya que no son más que artefactos de la capacidad cerebral para abstraer. La única realidad es el presente. Si siente ansiedad o está deprimido, su vida queda desprovista del ahora y aquí, dejándole flotando en un mundo de preocupación, arrepentimientos o anticipación. Se queda apartado de la vida porque no se da cuenta de que puede decir «No». La Autopreparación se encargará de cambiar esta situación.

Autopreparación, principio de curación 2

Los pensamientos preceden a los sentimientos, la ansiedad y la depresión.

Con la excepción de los actos reflejos, los pensamientos preceden las acciones, las reacciones y, aún más importante, los sentimientos. Los pensamientos que nos formamos están basados en nuestra percepción del mundo y dichas percepciones son las conclusiones que hemos extraído de nuestras particulares experiencias de aprendizaje. Imaginémonos a un niño que ha padecido abusos o falta de cariño. Está claro que este niño llegará a unas conclusiones sobre la vida muy distintas a las de un niño que ha crecido con amor y respeto. Por ejemplo, una persona segura puede sentirse bien ante el silencio de una sesión de terapia tranquila y pensar: «Esta es una oportunidad para expresar mis preocupaciones sin prisa». En cambio, una persona que padece ansia puede reaccionar de forma muy distinta ante el mismo silencio: «Bueno ¿Qué quiere de mí? ¿Qué espera que diga? ¡Odio esto!». Una persona deprimida, frente al mismo silencio, podría concluir: «No tengo nada que decir. ¡Ni siquiera se me da bien la terapia! Soy un fracaso».

Sé que me preocupo demasiado, pero...

La inseguridad, las dudas y el miedo crean distorsiones de la realidad. Eche un vistazo a la lucha de Linda, una persona que sabe lo fácil que es sentirse confundida por el pensamiento distorsionado de la Niña Insegura. Linda es una madre de veinticuatro años que, desde hace mucho tiempo, está luchando contra el pánico y el miedo. Aun así, hasta que su hija empezó a ir al colegio no se sintió completamente fuera de control y con necesidad de buscar ayuda.

> «Con todo lo que está sucediendo en el mundo, no puedo evitar sentir ansiedad cuando mi hija está en el colegio. Sé que no cierran con llave las puertas traseras del colegio y cualquiera podría entrar allí. Me he fijado en que soy la única ma-

dre que, al llevar a la niña al colegio, me quedo hasta que entra en el edificio. Durante el día, a veces paso conduciendo al lado del colegio y sé que está bien, pero me siento nerviosa. Se me vienen a la cabeza todos esos pensamientos: "¿Qué pasaría si...?" o "¿Y si ocurriese ....?". Sé que parece una tontería, pero pueden pasar cosas terribles y ¿cómo puedo estar segura de que no le pasarán a mi hija? Sólo me tranquilizo un poco cuando la voy a recoger y la veo salir del colegio.»

El pensamiento de Linda es un poco extremo, pero muestra cómo un poco de información combinada con mucha inseguridad pueden escribir por sí solas el guión de una película de miedo. Linda no es distinta de usted o de mí, lo único distinto es que ella permitió que sus preocupaciones y ansiedades se fuesen acumulando sin estorbarle. De esta forma, creó un hábito de pensamiento tortuoso e inseguro que se contempla en la forma en que anticipan el caos futuro. Como puede observar, es obvio que Linda sufre debido a sus propias distorsiones. Si, al igual que Linda, empieza a caer en picado por la pendiente de las seductoras hipótesis negativas, entonces pronto se encontrará en la situación del perro que se muerde la cola. Los pensamientos ansiosos provocan ansiedad, y a su vez más pensamientos ansiosos que provocan... ya me entiende.

Autopreparación, principio de curación 5

La inseguridad es un hábito y cualquier hábito puede romperse.

Linda necesitaba entender que si se deja que la inseguridad dicte lo que es real, entonces se debe pagar un precio y ella lo pagó con ansiedad. La Autocharla le ayudó a entender que su inseguridad tenía una voz particular e incluso personalidad propia, en su caso, una personalidad preocupada, temerosa y desconfiada. Esta voz, distinta a su voz sana y racional, pertenecía a su Niña Insegura. Con la Autocharla Linda supo reconocer cuál de las dos voces le hablaba (la Linda sana o la torturada Niña Insegura) y se preparó para entrenarse a sí misma a luchar contra estas distorsiones. Pudo conseguir su objetivo sustituyendo el pensamiento de su Niña por uno más racional, positivo y dirigido, la Autocharla, y decidiendo estar sana. La Autocharla consigue este loable objetivo insistiendo en gran medida en interpretaciones más apropiadas de la realidad: «Voy a arriesgarme a creer que mi hija está bien. Basta de hipótesis negativas. Cuando la lleve al colegio no voy a permitir sumirme en todas estas ideas estúpidas». Linda averiguó, al igual que lo hará usted, que una vez se es consciente de los pensamientos y se dirigen utilizando la Autocharla, la ansiedad y la depresión pierden su poder.

Autopreparación, principio de curación 6

Pensar saludablemente es una elección.

Puede sorprenderle que la inseguridad, el miedo, la duda y la desconfianza tengan una voz y una personalidad. Le choca porque, con el tiempo, se ha llegado a identificar con sus propias pautas destructivas de manera que ya no las contempla como contaminantes de su persona, sino *como* su persona. Cuando dice: «Estoy deprimido» o «Tengo ansiedad», acaba convirtiéndose en su depresión o su ansiedad. Por otro lado, si pudiese decir, *una parte de mí* está deprimida o siente ansiedad (una parte muy destructiva), entonces podría enfrentarse a los síntomas con el convencimiento necesario para librarse de ellos.

Nunca ha estado destinado a convertirse en su ansiedad o depresión y, aunque en ocasiones pueden ser una parte normal de la vida, nunca deberían dominar. Si se siente intimidado por cualquiera de estos síntomas destructivos, por favor sea consciente de que es una víctima de unos intentos inapropiados, y guiados por la inseguridad, para controlar la vida. No se deje engañar por los síntomas porque los hábitos son tan sólo hábitos. La ansiedad es sólo ansiedad y la depresión es sólo depresión. No se trata de algo sobrenatural, innombrable que esté por encima de su capacidad para modificarlo. Recuerde que sólo se trata de hábitos.

Autopreparación, principio de curación 7

Un buen preparador es un buen motivador.

Ponerse en marcha: un consejo de Super Mario

Hace unos años, mis hijos me invitaron a jugar con ellos a uno de sus videojuegos. Les había visto jugar, haciendo que Mario saltase, esquivase objetos y se escabullese por la pantalla. Parecía fácil, pero con el mando en la mano ya era otra cosa. No nos olvidemos de que los niños de hoy en día han crecido con los videojuegos, pero en mis días los únicos muñecos que se movían eran los que uno rompía. Así que no daba pie con bola.

Las risas bien intencionadas de mis hijos hicieron que pusiese aún más empeño por dominar aquel juego que me parecía inútil. De vez en cuando, después del trabajo, entraba en la habitación de mis hijos para jugar a Nintendo unos minutos. Al principio, sentía una gran frustración, como si estuviese intentando escribir con la mano equivocada, porque no podía conseguir que Mario hiciese lo que yo quería. Además, parecía que cuanto más lo intentaba peor lo hacía, hasta que al cabo de un mes más o menos Mario empezó a hacer exactamente lo que yo le indicaba. De alguna forma mi cerebro, mis manos y mis ojos empezaron a trabajar juntos y Mario se convirtió en una extensión de mi voluntad.

Sus primeros intentos con la Autocharla pueden ser un poco «descalabrados» para usted, pero, como me ocurrió a mí con mi Nintendo, tendrá que aprender a hacer las cosas, repitiendo y repitiendo algo que en un principio puede parecer poco natural. Recuerde que la frustración sólo será temporal y acepte desde un principio que la Autocharla requiere práctica (cuanta más mejor, cuanto antes mejor). Incluso si no tiene una buena técnica, adelante y déle una oportunidad. Si se confunde o comete algún error, no pasa nada. Siga intentándolo y aprendiendo de sus esfuerzos. No tiene nada que perder, pero mucho que ganar.

Sugerencia para la preparación

Aproveche la oportunidad que tiene para practicar la diferencia entre Autocharla dirigida, pensamientos no dirigidos y ordenados por la inseguridad y pensamientos no dirigidos neutrales. La siguiente tabla es un ejemplo de cómo puede descodificar estas experiencias. Intente rellenar cada categoría de la tabla con algunos ejemplos extraídos de su experiencia diaria que se le ocurran.

Pensamiento no dirigido neutral	Pensamiento no dirigido regido por la inseguridad	Autocharla dirigida
1. Supongo que es hora de irme a la cama. Estoy cansado.	1. Es demasiado difícil. No puedo hacerlo.	1. No, no voy a darme por vencido. He trabajado demasiado tiempo y he puesto demasiado esfuerzo.
2. ¡Qué puesta de sol tan bonita!	2. ¿Por qué quiere verme? ¿Qué he hecho? Es algo terrible.	2. No hay nada que temer. Se trata sólo de una tos.
3. ¿Qué me apetece comer? Creo que no tengo tanta hambre todavía.	3. Tengo el pelo fatal. No puedo ir así al baile. Me quiero morir.	3. Suficiente es suficiente. Es hora de ponerse a trabajar.

9

Los tres pasos sencillos de la Autocharla

El diccionario define inseguridad sencillamente como la falta de confianza o seguridad. La mayoría de las personas dirán que es esa inseguridad, tensión y dudas que se siente de vez en cuando. ¿Y usted? ¿Cómo describiría inseguridad? Personalmente lo definiría como la incapacidad para creer en uno mismo, por lo que el Niño Inseguro invade la cabeza con dudas y temor y hace que a la persona le sea imposible creer que puede dirigir su vida. ¿Sabe qué? Le han engañado, porque, aunque su Niño Inseguro posee la fuerza del hábito, no es tan fuerte como dicen. Sólo hay una razón por la que se ha sentido amedrentado durante todo este tiempo: porque nunca ha desafiado adecuadamente a su Niño. Nunca hasta ahora, ya que, si sigue tres pasos muy sencillos que le proponemos, conseguirá poner fin a esa erosión que ha ido dañando poco a poco su autoestima y su seguridad personal.

Paso nº 1 de la Autocharla. Aprender a escuchar

Practique el escuchar sus pensamientos.
Pregúntese: «¿Lo que estoy oyendo me parece maduro,
racional o razonable? O, por el contrario,
¿me parece excesivamente emocional, infantil e inseguro?
¿Estoy hablando yo o mi Niño Inseguro?».

El paso nº 1 no es complicado, pero necesita práctica. Utilizando la hoja de muestra que se incluye al final de este capítulo, sólo deberá empezar haciéndose una pregunta muy sencilla: ¿Es esto infantil o maduro?

Truco de Autopreparación

Siempre que note un aumento de los síntomas de ansiedad o depresión, sospeche que su Niño Inseguro se esconde detrás de dichas molestias.

Observe cómo Lauren, una profesora de primaria de veinticinco años, pudo aplicar con el tiempo el paso nº 1 a su problema:

«La semana pasada estaba viendo la televisión y mi compañera de piso me dejó una nota en el sofá, se fue a su cuarto y cerró la puerta de un portazo. En la nota decía que no podía seguir viviendo con mi desorden.

Me quedé allí sentada, casi echando humo, y mi primera reacción fue ir a su habitación y decirle cuatro cosas. Está bien, tengo que admitir que es cierto que soy desordenada, pero no sabía que eso fuese un problema para Sandy. Claro, como ella se cree tan perfecta. El caso es que por mí ya puede empezar a buscarse otra compañera de piso y a partir de ahora que se vaya al trabajo en autobús, porque el servicio de taxi ya se ha acabado. ¡Es increíble! ¡Encima con una notita! ¡Ni siquiera se atrevió a decírmelo a la cara! El caso es que ahora ya ni nos hablamos. Cuando ella entra en una sala yo salgo. Me niego a ser civilizada. ¿Por qué debería serlo? Va a pagar por lo que ha hecho y me da igual que la situación sea incómoda. Si no le gusta, que se vaya Doña Perfecta. ¡La muy caradura! Además, ¿sabe qué? No he fregado ni un plato desde el domingo y toda mi ropa está esparcida por el apartamento, por no hablar del lavabo, que está hecho una pocilga. ¡No voy a cambiar!»

¿Parece razonable, madura o racional la actitud de Lauren? Está claro que no. Su pensamiento es muy emocional, infantil y rencoroso, características típicas del Niño Inseguro, y lo peor es que ella está escuchando su voz. El paso nº 1 requiere que empiece a evaluar sus pensamientos y reacciones. Cuando Lauren se propuso por vez primera poner en práctica este primer paso, el resultado fue una defensa de su posicionamiento infantil, recordando todo lo negativo que Sandy había hecho en el pasado. Sin embargo, debido a la ansiedad de Lauren, enseguida sospechó que su Niña Insegura tenía algo que ver con esos intensos pensamientos y acabó admitiéndolo: «Sí, me estoy comportando como una niña. Si fuese más madura, le hubiese dicho lo mucho que me molestaba su nota y cómo había herido mis sentimientos. Quizás hubiésemos tenido que hacer una especie de contrato o algo para ponernos de acuerdo».

Lauren es un buen ejemplo de lo que he observado constantemente en mi consulta. Ante la presión, la mayoría de las personas pueden distinguir qué es maduro de qué es ridículo. Créame, el habla de los niños suele parecer bastante tonta.

Si se confunde, como le ocurrió a Lauren, frene y deje que el tiempo ponga cualquier incidente en su sitio. Después, vuelva a evaluarlo las veces que sea necesario. No deje que el intento de echar leña al fuego de su Niño Inseguro le engañe. Una vez se acostumbre, verá que no es tan difícil percibir la influencia del Niño Inseguro y ya no tendrá mayores problemas. En realidad, acabará siendo tan perspicaz que evaluará la calidad de su pensamiento mientras piensa.

Eche un vistazo a los siguientes ejemplos para comprobar si puede percibir el pensamiento del Niño Inseguro. Lea cada cita y determine si cree que describe un pensamiento del Niño Inseguro («Sí») o un pensamiento más maduro y racional («No»). Encontrará las respuestas a continuación de la encuesta.

Pensamiento del niño inseguro	Respuesta	
1. «Muy bien, si no quiere oír mi opinión, entonces a ver cómo le sienta mi silencio continuo.»	Sí	No
2. «Nunca voy a caminar hacia delante. Soy un fracaso total.»	Sí	No
3. «Nada me sale nunca bien. Todo va siempre en mi contra. ¿Por qué?»	Sí	No
4. «No me ha llamado desde hace semanas. Ella nunca hace eso. Me pregunto si está bien. ¿Debería llamarla?»	Sí	No
5. «Todavía no ha llamado. Algo malo debe de haber ocurrido. A lo mejor ha tenido un accidente y ahora puede que esté tumbado en alguna cuneta.»	Sí	No

Respuesta: Excepto la cuarta cita, todas las demás son respuestas típicas del Niño Inseguro (son inseguras, exageradas, histéricas, etc.). Si lo tiene claro en la número cuatro, compárela con la número cinco. La cuarta está compuesta por una pregunta racional, mientras que la número cinco tiene una visión negativa: «Algo malo debe de haber ocurrido», sin ninguna pregunta objetiva. Además, la hipótesis negativa se alimenta de especulaciones histéricas mayores.

Intentar familiarizarse con la personalidad del Niño Inseguro es de gran ayuda y, de la misma forma que reconoce a los demás en su vida por lo que dicen y hacen, su Niño puede ser igual de predecible cuando es consciente de sus rasgos de personalidad. Puede empezar utilizando la siguiente lista para facilitar su identificación:

- ¿Qué tipo de expresiones del Niño Inseguro advierte? Pregúntese si su Niño parece inseguro, deprimido, mimado, temeroso, llorón o insolente.

- Es importante saber qué circunstancias suelen avivar su Niño inseguro, por ejemplo, el estrés, las confrontaciones, los momentos en que la ansiedad fluye libremente o la depresión sin conflicto externo, la anticipación al conflicto o la confrontación, el miedo a perder el control, las dificultades para mantener el control, etc.

- Averigüe cómo distorsiona las cosas su Niño Inseguro. ¿Cuál es su estilo? ¿La preocupación, la anticipación de los desastres, una negatividad excesiva, una retirada, la culpa o acaso la hostilidad?

- Basándose en la personalidad de su Niño Inseguro, intente realizar descripciones sencillas o nombrar lo que constituye la esencia de su Niño (María Asustadiza, Harry Hostil, Dan Catastrofista, Michael Llorón, etc.).

Hace tiempo, me di cuenta de que descripciones como «la voz de la inseguridad» o «pensamiento distorsionado» permiten que las personas no puedan trabajar en armonía con su inseguridad. Cuantos más detalles confiera a su Niño Inseguro y más se aproxime a él, más rápido podrá reconocer el nefasto efecto que tiene respecto a su pensamiento.

Es relevante considerar que, al igual que ocurre con su personalidad externa, la personalidad del Niño Inseguro se expresa mediante múltiples vías. Por ejemplo, su Niño Inseguro podría actuar con miedo en un momento, de forma impulsiva en otra y desesperado al cabo de un rato. Toda personalidad está compuesta de una infinidad de rasgos y la de su Niño Inseguro es un mosaico trabajado con distintas expresiones. La siguiente lista le aporta pistas sobre las posibles expresiones en que puede manifestarse. ¿Le parecen familiares? Asimismo, también pueden ayudarle a caracterizar su Niño Interior.

Niño Temeroso: *Gallina.* Cree que el cielo se va a caer; ansioso, a veces con una depresión subyacente (*Don Angustias, Tortugas, personas sensibles a la culpabilidad*).

Niño Asustadizo: miedoso; siempre preocupándose. Las personas que realizan hipótesis negativas siempre sienten ansiedad y la depresión tampoco se halla muy lejos (*Don Angustias, Tortugas, personas sensibles a la culpa*).

Niño Manipulador: controlador y manipulador (*Mártires y Camaleones, Estafadores, Políticos y Diplomáticos*).

Niño Matón: controla mediante la agresión y la intimidación. Son pensadores en blanco y negro, insensibles (*Erizos*).

Niño Histérico: se está desequilibrando y espera que le rescaten. Son personas muy emocionales, que padecen ansiedad y depresión (*Don Angustias, Obsesivos del Control*).

Niño Aplastado: la vida es demasiado, no puedo seguir así. Normalmente se siente deprimido y ansioso (*Don Angustias, Sensible a la culpabilidad, Tortugas*).

Niño Llorón: soy una desgracia, «Soy patético y debilucho». Son personas deprimidas (*Mártires, Tortugas, Don Angustias, Sensibles a la culpabilidad*).

Niño Impulsivo: pensadores en blanco y negro, impacientes que necesitan controlarlo todo, aquí y ahora. Son personas que padecen ansiedad (*Erizos, obsesivos con el control*) y depresión (*Don Angustias, Tortugas, Sensibles a la culpa*).

Niño Tozudo: o lo que yo digo o nada. Personas propicias a berrinches (*Políticos, Erizos, Perfeccionistas, Estrellas, Obsesivos del Control y Fanáticos*).

Niño Indefenso: excesivamente dependiente y pegado a los demás, esperando siempre que le rescaten. Persona ansiosa y deprimida (*Don Angustias, Tortugas, Sensibles a la culpabilidad*).

Niño Desesperado: por qué preocuparse, nada me va a salir bien. Persona pesimista y ansiosa (*Mártires, Tortugas*).

Paso n° 2 de la Autocharla. Aprender a dejar de escuchar

*Cuando note que su Niño Inseguro está hablando,
decida no escucharle. ¡Sepa dejar de escuchar!*

¿Cómo puede dejar de escuchar a su Niño Inseguro? Conceptualmente, no es tan difícil como se podría pensar. Imagínese que se queda atrapado en un coche con un niño quejica. Al principio, seguramente escuchará a ese pequeño mimado mientras se queja incesablemente, pero, al cabo de un rato, desconectará porque se dará cuenta de que ese niño supone una amenaza para su tranquilidad, así que no escuchará sus palabras. Haga lo mismo con su Niño Inseguro: Cuando reconozca quién está hablando, ¿por qué seguir escuchando?

Soy consciente de que en la vida real no resulta tan sencillo y, por lo tanto, requiere práctica y orientación de su pensamiento mediante la Autocharla. Por ejemplo: «Ahí está mi Niño Inseguro asustado diciéndome que no voy a conseguirlo. Estaría loco si le hiciese caso. Haré lo que yo quiera». Aléjese del pensamiento de su Niño y pregúntese cuál sería una posición más madura y objetiva.

Cambiar de emisora

Cambiar de emisora es una técnica muy útil para ayudarle a ignorar a su Niño Inseguro. Imagínese que está escuchando la radio y el locutor está emitiendo un discurso apocalíptico sobre los peligros del calentamiento global. Usted está sentado en su sala de estar y empieza a sentirse tenso. Mientras continúa escuchando, se da cuenta de que su estado anímico cada vez es más ansioso. Al final, ya no puede aguantarlo más, así que cambia de emisora y escucha la óptima previsión meteorológica para el fin de semana. Ahora empieza a relajarse.

Cada locutor de radio representa una variación de su propio pensamiento: positivo y alentador, negativo y deprimido o neutro. Lo que escucha por la radio no es diferente de lo que escucha en su mente. Se trata de su ego consciente que, empleando la técnica de la Autocharla, aprende a cambiar de canal y sintonizar la emisora apropiada. Lo que usted decida escuchar será lo que le influirá. ¿No le gusta lo que está escuchando? Cambie de emisora. Es así de simple.

Kerry, una recepcionista de cuarenta años, me comunicó que el saber cambiar de emisora le había salvado la vida. Cuando le pedí si podía documentar su experiencia para mi libro, la relató así:

«He sido una obsesionada del control toda mi vida. El invierno pasado tosía bastante y decidí ir al doctor. Para mi sorpresa me dijo que tenía la presión arterial muy alta y que tenía que empezar una medicación enseguida. "Ni hablar", dije con un tono de voz fuerte. Si tenía la tensión alta quería solucionarlo yo sola. Nunca había tenido ningún problema con la autodisciplina, así que ¿dónde estaba el problema? Leí unos cuantos folletos que el doctor me dio y me fui de la consulta. A partir de ese momento, empecé a caminar de forma regular, a perder un par de kilos, a rebajar el consumo de sal y a medirme la presión arterial en casa. Por desgracia, la tensión seguía estando alta y nada de lo que hacía parecía ayudar. Hubo un momento en que llegué a 215/120. Empecé a tener miedo. ¡Nada de lo que hacía funcionaba!

Mis pensamientos me decían: "Voy a morir. ¿Qué voy a hacer? ¡No quiero tomar medicinas el resto de mi vida!". Cuanto más miedo tenía y más esfuerzos realizaba, más subía mi tensión. Probé con yoga, con dejar de fumar, aumenté el tiempo de paseo y de *footing* matinal... pero nada funcionaba. Empecé a deprimirme más y me sentía totalmente fuera de control. Los pensamientos de no estar en este mundo para poder ver cómo crecía mi hija, el no poder gozar de la jubilación... Me era imposible conciliar el sueño y tenía un humor irritable e insoportable. También tenía dolores de cabeza, pero no quería ir al médico porque sabía que él sólo me recetaría medicinas.

Entonces empecé la terapia. Al principio, me gustó el concepto de que podía hacer algo para controlar mi ansiedad. Además, el folleto mencionaba que el estrés es uno de los factores que contribuyen a la hipertensión, así que la terapia parecía el paso más lógico. Entonces me di cuenta de que su técnica para cambiar de emisora era precisamente lo que necesitaba. Al principio, quería ver cuántas emisoras de radio diferentes tenía y vi que sólo eran tres: la emisora de miedo, la emisora distraída y neutral y la emisora de control y de "tengo que hacer algo". Después de aprender sobre el control y la Autocharla, reconocí que yo misma me estaba limitando el pensamiento y los canales, así que añadí un cuarto canal, el de "hallar hechos".

La emisora de hallar hechos requería que dejase de ser tan cabezota y explorase otras opciones a parte de las listadas en las tres emisoras anteriores. Fui a la consulta de un especialista en hipertensión y me sorprendió saber que había unas nuevas medicinas que a penas provocaban efectos secundarios. Siempre había asumido que la medicación para la hipertensión hacía que la persona durmiese durante el día y fuese al lavabo durante la noche. Así que, ante las buenas noticias, le dije al doctor que consideraría sus recomendaciones.

A la mañana siguiente, cuando estaba corriendo, mi emisora de miedo empezó a hablarme de forma alta y clara: "No lo aceptes, no puedes estar medicándote toda la vida...". Sabía que esta ansiedad provenía de mi Niña Insegura y, utilizando la Autocharla, decidí no escuchar y cambiar de emisora. Elegí el canal de hallar hechos. "Muy bien, no quiero medicarme, pero ¿qué está haciendo la alta tensión en mi cuerpo? Todo este tiempo que tardo en decidirme estoy dañando mi cuerpo. Cuando vuelva voy a investigar más sobre esa medicación". Eso fue todo un éxito. Había logrado cambiar de emisora y escuchar una voz mucho más racional, pero lo que más me sorprendió fue la inclusión accidental de un quinto canal.

La emisora cinco, que yo llamo la "emisora Mozart", era un canal de relajación. Me di cuenta cuando, después de decidir investigar más sobre la medicación, me sentí muy calmada y tranquila. De repente, me olvidé por completo del miedo y seguí corriendo mientras admiraba los árboles en flor del parque. Era la primera vez que lo admiraba. Había estado tan pendiente de mí, con todos esos pensamientos rondando por la cabeza, que ni siquiera me había dado cuenta de que había llegado la primavera.

Ahora, cuando me siento fuera de control o tengo miedo, cambio a la emisora Mozart y, cuando la sintonizo bien, me libero de todos los pensamientos y admiro lo que me rodea. He aprendido a prestar más atención a los colores, a los sonidos y a otras muchas cosas que no percibo cuando pienso.

Al final decidí medicarme. En principio quería probarla durante un mes y después tomar la decisión final. Empecé con la medicación una tarde. Después de la cena, esa misma noche, me tomé la presión y casi me caigo de la silla. Acostumbrada a leer 200/110 y cifras incluso más altas, observé 116/80. ¿Cómo podía ser? ¿En sólo unas horas?

Ahora ya hace meses que tomo la medicación regularmente y ya casi nunca escucho la emisora de miedo. La emisora de hallar hechos también ha reducido su tiempo e intento apagar enseguida la emisora de control en cuanto me doy cuenta. Sin embargo, la emisora Mozart se ha convertido en mi favorita y la escucho en todo tipo de situaciones, no sólo en las de pánico. A veces, si estoy un poco triste y siento pena de mí misma, puedo cambiar de emisora y sentirme más próxima al mundo.»

Reflexión respecto a la Autopreparación

*La Autopreparación emplea la Autocharla para enseñarle
a cambiar de emisora cuando lo que se le pasa por la mente
le hace daño. ¿Por qué hay que ponerle fin?
Porque usted puede elegir, y ¿por qué no elegir sentirse bien?*

Ahora me siento mucho más inteligente

Con un poco de conciencia, usted verá claramente lo ridículo que parece la manipulación negativa, temerosa o la incesante necesidad de control del Niño Inseguro. Con el tiempo, cuando eche la vista atrás, se quedará perplejo de lo crédulo que era en el pasado. Cuando uno se acostumbra a rechazar la voz del Niño Inseguro y a cambiar de emisora, ya está a sólo un paso de completar la eliminación de los pensamientos retorcidos y de reconocer la verdadera fuente de fuerza: su ego sano y maduro.

Jay, un hombre de negocios que se acababa de jubilar, contó lo siguiente:

«Sigo pensando que hay algo raro en mí. De vez en cuando me pillo a mí mismo imaginándome cosas terribles y hago un esfuerzo por no escucharlas. Ayer fue un buen ejemplo. Estaba en el ordenador y cuando me agaché para rascarme la pierna, sentí un dolor. Mi costilla parecía un poco tierna. La toqué de nuevo, confirmando que algo no estaba bien. Así que empecé a decirme a mí mismo que algo le pasaba a la costilla y me preguntaba: ¿Y si es cáncer? Empecé a sentir ansiedad, pero de alguna forma sabía que estaba haciendo de un dolor inocente una catástrofe. Sabía que se trataba del Niño Inseguro, sintiendo miedo y poniéndose histérico. Aparté mi mano de la costilla dolorida y me dije: "Deja de ser ridículo", negándome a escuchar y repitiendo una y otra vez: "Deja de escuchar. Es ese Niño tonto". Tengo que decir que funcionó a pesar de que seguía intentando imponer su voz, pero al final me olvidé completamente de la costilla.

Un poco más tarde, cuando me quitaba la camisa, me acordé de la costilla y ¿sabe qué? Recordé que el día anterior había ido a la clase de yoga y había intentado hacer esa posición imposible del triángulo. Probablemente realicé unos fuertes estiramientos y por eso estaba dolorida. Me siento tan satisfecho de haber apartado al Niño, porque si no hubiese seguido alarmándome y hubiese acudido al médico totalmente histérico.»

Jay es un caso típico de paciente que necesita saber que la paciencia y la perseverancia al final acaban dando sus frutos. El Niño Inseguro está acostumbrado a hacer de las suyas sin ningún tipo de obstáculo, ya que la mayoría de las personas, sin darse cuenta, además de permitir que el Niño Inseguro se imponga, fomentan su histerismo. Por ejemplo, si Jay no hubiese sabido nada de la preparación de la Autocharla, seguramente hubiese aceptado el pensamiento de padecer cáncer y hubiese ido añadiendo unos pronósticos catastróficos como «¿De qué más puede tratarse? ¡Sólo puede ser cáncer!», «No quiero morirme». Por eso recuerde que no debe ayudar a su Niño.

Paso nº 3 de la Autocharla. Dirigir su pensamiento

Una vez le frene los pies a su Niño Inseguro,
tiene que hacer algo más.
Se trata de dirigir su pensamiento hacia una visión más saludable.

El primer paso de la Autocharla consistía en distinguir un pensamiento saludable de un pensamiento provocado por el Niño Inseguro y con el segundo paso usted podía decidir no escuchar a su Niño Inseguro. Ahora, utilizando el paso nº 3, usted podrá dirigir sus pensamientos hacia una perspectiva más sana y objetiva. En el siguiente capítulo, y con posteriores recordatorios a lo largo del libro, se le ofrecerán una serie de instrucciones para potenciar su capacidad para dirigir su Autocharla. Una vez se aleje del Niño Inseguro, pensar con claridad se convierte en un proceso natural. Lea la historia de Mary:

Mary es una mujer de mediana edad casada con dos hijos adolescentes que trabaja de programadora informática. En un principio acudió a terapia porque sentía una inmensa culpa y depresión por estar enamorada de un hombre al que conoció en una clase de kárate. Estaba totalmente obsesionada con él, hasta tal punto que su trabajo, su matrimonio y sus amistades corrían peligro.

Mary prefirió utilizar un diario, del cual me dio permiso para reproducir el siguiente fragmento:

«28 ENERO: Esta noche he visto a Ron (el hombre de la clase de kárate). Sólo puedo describirlo como dolor físico... sólo quiero estar con él.
1 FEBRERO: He intentado utilizar el concepto del Niño Inseguro, pero en

realidad no quiero alejarme de lo que siento por Ron. No quiero que desaparezca este sentimiento tan bonito... Le necesito tanto. No puedo seguir adelante sin él en mi vida.

5 FEBRERO: He releído mi última anotación y creo que seguramente la Niña Insegura era quien había escrito esas palabras. Debo preguntarme: "¿Realmente necesito a Ron? ¿O acaso lo necesita mi Niña Insegura?" Quizás se trate de mi niña... voy a llamar a la Niña Insegura que hay dentro de mí "Mary Asustada". No sé muy bien por qué, pero es tan pequeña y está tan asustada.

8 FEBRERO: Mary Asustada dice que Ron sabría cómo tratarme... no como Tom (su marido). Sí, tengo que admitirlo. Sigo escuchando a Mary Asustada. ¡No puedo evitarlo! Igual es que no quiero dejar de hacerlo. He intentado preguntarle a Mary por qué le parece Ron tan perfecto y maravilloso, pero no he obtenido respuesta. Me parece un poco ridículo hablar conmigo misma.

13 FEBRERO: Hoy ha sido un mal día. No me podía levantar de la cama. Estoy mucho más deprimida. No quiero vivir sin Ron. ¿Se lo debería contar a Tom? ¿Qué pasaría con los niños? Mi ansiedad está por las nubes... me cuesta mucho dormirme. Estoy perdiendo peso, pero eso no me importa. No puedo hacer nada más que pensar en Ron. ¡AYUDA! Me siento tan vacía.»

Después, Mary y yo tuvimos una sesión y discutimos los comentarios que había realizado en su diario. Me dijo firmemente que nunca rompería su familia y que le gustaría poder frenar estos pensamientos tormentosos con Ron (de hecho, Mary y Ron nunca habían intercambiado una palabra. Todo era pura fantasía de ella). Le dije que siempre que permitiese que Mary Asustada llevase la voz cantante, sufriría. Tenía que tomar una decisión. Si quería sentirse mejor, tenía que decidir de qué lado estaba: del de Mary Asustada o del de Mary.

«15 FEBRERO: He escuchado a Mary Asustada. Se vuelve a sentir desesperada. Quiere irse de casa y decirle a Ron todo lo que siente por él. Al final le pude parar los pies. Le dije que se tranquilizase. Que nadie iba a irse de casa. Después, al cabo de unas horas, empecé a sentirme mejor y disfruté jugando con los niños sin pensar en Ron.

16 FEBRERO: Ayer fue una falsa esperanza... no puedo dejar de pensar en Ron. ¿Qué hay de nuevo? Siento que estoy enloqueciendo. Un momento, creo que puedo expresarlo mejor: yo no estoy enloqueciendo, es Mary Asustada la que lo está haciendo. ¡Eso es! ¡Mary Asustada no pue-

de vivir sin Ron! La pregunta es: ¿Y yo? ¿Puedo hacerlo yo? ¿Quizás? Decirme esto a mí misma hace que me sienta mejor, que sienta menos tensión. Mary Asustada quiere un romance, sólo quiere estar en las nubes y pensar en Ron. Yo intento distraerme con otras cosas. A veces lo consigo y a veces no.

20 FEBRERO: Esta mañana me he levantado sin ganas de nada y casi no reconocía a Mary Asustada en mi pensamiento. Estaba actuando de forma sutil, pero al final he reconocido sus quejas patéticas. Me he sentado y me he dicho que no tengo por qué estar tan necesitada de todo como Mary Asustada. ¡Puedo decidir no estar desesperada! Vale, vale, quizás me estoy engañando creyendo todo esto, pero ahora mismo me da igual. Sólo sé que me siento mejor y eso es suficiente por ahora.

22 FEBRERO: Estoy empezando a darme cuenta de que no tengo que escaparme a la Tierra de Nunca Jamás para ser feliz. Hay oportunidades al alcance de la mano. ¡La vida podría ser tan fácil! Está claro que Tom tiene que cambiar algunas cosas, pero es un buen hombre y estoy segura de que le quiero. No hay esa pasión inicial, pero admito que siento amor. Necesito estar con él y esforzarme para que todo vaya bien. ¿Lo oyes, Mary?

23 FEBRERO: He puesto en marcha mi primer intento para ser valiente. Me he sentado al lado de Tom y le he cogido la mano. En ese precioso momento no sabía dónde estaba Mary Asustada. En ese momento no sentía miedo.

26 FEBRERO: Antes de la clase he oído como Ron le decía a otro hombre que lo que más deseaba era "tirarse" a su secretaria. ¡GRACIAS, DIOS MÍO!»

La Autocharla permitió que Mary pudiese ver con claridad las dos partes de su lucha, entre la Niña Insegura, irracional e impulsiva que caracterizaba «Mary Asustada» y su parte más saludable, funcional y responsable. El diario de Mary nos permite observar la evolución de sus esfuerzos para dirigir su pensamiento hacia un posicionamiento más sano (por ejemplo: «¿Puedo decidir no estar desesperada?» o «No tengo por qué estar tan necesitada de todo como Mary Asustada...»).

Cuando uno permite que la inseguridad contamine el ego sano, es inevitable sentirse desorientado. La Autocharla funciona porque le ayuda a entender la separación que es necesaria entre usted y su inseguridad. Una vez comprenda esta diferenciación, sólo deberá dirigir sus pensamientos hasta que observe que puede arrebatarle su vida al Niño Inseguro.

¿Está preparado?

La Autocharla es una técnica que requiere mucha práctica, así que aproveche cada segundo libre que tenga, sin imponerse unos estrictos horarios. Con una actitud de dedicarle el máximo tiempo libre posible, los resultados se irán acumulando poco a poco. Con cuidado, paciencia y un seguimiento del programa, logrará su objetivo. También debo decirle que seguramente su Niño Inseguro intentará sabotear sus esfuerzos. Debe estar preparado y recordar que su inseguridad sólo confía en sus propios intentos neuróticos de poner orden en su vida y no confía en los cambios y, menos aún, en el cambio radical que tenemos preparado para usted.

Si a causa de la depresión se siente avasallado e intimidado por todas las prácticas que debe hacer, tenga paciencia. Si la ansiedad hace que sienta miedo sobre si está progresando o no, tenga paciencia. En los siguientes capítulos aprenderá formas para motivar y mantener sus ejercicios diarios. Por ahora, dé la bienvenida a cada esfuerzo, sin tener en cuenta lo breve o lo infrecuente que sea. Además, debe seguir recordándose que es imposible que el retorcido pensamiento fomentado por la inseguridad pueda prosperar a la luz de la objetiva, fría y clara realidad.

Piense en sus ejercicios como piezas de un puzzle que tendrá que ir añadiendo poco a poco, información a información, intuición a intuición, siempre acumulando conocimiento sobre el pensamiento inseguro y distorsionado del Niño Inseguro. Anímese a centrarse en ir acumulando piezas para su puzzle personal y aprenda el pensamiento perjudicial que precede a su ansiedad o depresión. Como ocurre con los puzzles, aunque no se pueda ver ningún dibujo durante bastante tiempo, puede que de repente ponga una pieza y... ¡Ya lo verá claro! ¡El dibujo se revela solo! De igual forma, la visión de su realidad objetiva y sana podía aparecer entremedio de las distorsiones. Recuerde que no hay presión ni fecha límite: sencillamente siga el programa y la realidad se desvelará sola.

Aunque aprenderá mucha información valiosa en los capítulos siguientes, en este momento ya está más que preparado para comenzar el experimiento de la Autocharla. Siéntase libre de personalizar según el método que le parezca más apropiado, como hizo Mary con su diario. Hay personas que prefieren grabar sus resultados en una cinta al final del día, mientras otros utilizan la grabadora para mantener un diálogo de verdad, cambiando la entonación según vayan representando la voz insegura o la voz sana. Una vez tuve un paciente que prefería hacer dibujos y hacía unas caricaturas impresionantes, mostrando a un niño gruñendo, pataleando e, incluso una vez, escupiendo. Sea creativo. No hará daño a nadie.

Revisión de la Autocharla

Paso nº 1. *Practique el escuchar sus pensamientos. Pregúntese:*
«¿Lo que oigo me parece maduro, racional, razonable o,
por el contrario, me parece primitivo, excesivamente emocional, infantil
e inseguro? ¿Soy yo quien habla o es mi Niño Inseguro?».

Paso nº 2. *Cuando se dé cuenta de que su Niño Inseguro le está hablando,*
decida dejar de escucharle.

Paso nº 3. *Una vez impida que su Niño Inseguro deje de rondar*
por su pensamiento haga algo más. Dirija su pensamiento
hacia una perspectiva más sana.

Sugerencia para la preparación

Cambiar de emisora

En el capítulo 11, le ofreceremos unas instrucciones específicas para llevar a cabo un diario de preparación. Si se siente generoso y quiere adelantar, utilice la siguiente tabla a diario. Podrá incluirlas posteriormente en el diario.

Empiece escribiendo el máximo número de incidentes en los que la ansiedad o la depresión hayan tenido algo que ver, rellenando los pasos 1, 2 y 3. Cuando se acostumbre a identificar su Niño Inseguro y sus manifestaciones peculiares, podrá reconocerlo inmediatamente, sin ninguna ayuda.

Diario de preparación de la Autocharla

Describa cualquier incidente relacionado con la ansiedad o la depresión.	Paso nº 1 ¿Fue capaz de determinar si sus pensamientos eran maduros o infantiles?	Paso nº 2 ¿Decidió dejar de escuchar? ¿Lo consiguió?	Paso nº 3 ¿Supo dirigir su pensamiento hacia una perspectiva más sana?
	☐ Sí ☐ No	☐ Sí ☐ No	☐ Sí ☐ No
	☐ Sí ☐ No	☐ Sí ☐ No	☐ Sí ☐ No
	☐ Sí ☐ No	☐ Sí ☐ No	☐ Sí ☐ No

A menudo deberá evaluar sus pensamientos no dirigidos. Compruebe si lo que está pensando es neutral o negativo. Si le viene a la mente una idea negativa, intente cambiar de emisora. Por ejemplo, tome un pensamiento inseguro como «Seguro que esta noche con la preocupación no puedo dormir» y cámbielo a una emisora positiva: «Cuando llegue a casa esta noche me voy a dar un baño de agua caliente y se me van a ir todas las preocupaciones». Intente conseguir el máximo de práctica en interrumpir y cambiar sus pensamientos.

10

La Autocharla: llegar hasta el final y buscar las causas

Gracias a mi hijo aprendí el mantener el esfuerzo hasta el final. Justin juega en el equipo de fútbol americano de Princeton y, tras acompañarlo durante muchos entrenamientos, seguía oyendo la misma frase después de cada patada: «la cabeza, hacia abajo, llega hasta el final, deja que la pierna se balancee por la pelota». Hasta entonces yo creía que una vez la pelota se ponía en contacto con el pie, ya era suficiente para que ésta saliese por los aires, pero no. Se ve que el resultado depende del balanceo de la pierna por la pelota, terminando el movimiento por completo. Así, aprendí que en los deportes es importante llegar hasta el final. En la Autopreparación, cuando ya ha aprendido a apartar el pensamiento de su Niño Inseguro, necesita mantener el esfuerzo hasta el final, alimentándolo con información continua.

Empiece preguntando «Por qué»

Imaginémonos que últimamente me he sentido deprimido y quiero dejar el trabajo. Después de cambiar de emisora para no escuchar las quejas y los llantos de mi Niño Inseguro, y después de dirigir mi pensamiento hacia una percepción de las opciones más racional y razonable, es hora de llegar hasta el final. Esto se consigue obteniendo información de los motivos que tiene el Niño. Si puedo determinar por qué se siente tan desesperado, podré reforzarme a mí mismo para impedir que vuelva a provocarse la situación, ya que diré inmediatamente: «Mi Niño quiere dejar el trabajo porque no puede asumir la responsabilidad. ¿Por qué? Pues porque tiene miedo de cagarla. ¡Mi Niño no confía en mí!».

El porqué de estar siempre apartado o preocupado está relacionado con las sombras del pasado («Soy sensible a las críticas porque mi madre era obsesiva con el control. Nada de lo que hacía le parecía bien», «Claro, es normal que sea inseguro. Cuando era pequeño estaba gordito y todo el mundo se metía conmigo, incluso mis padres»). En algún momento de su desarrollo basado en el intento y el error, descubrió que había ciertas estrategias de control que funcionaban y otras que no.

Laurel, una secretaria de treinta años, recuerda:

«Mi madre siempre utilizaba el sentimiento de culpa, que yo odiaba. Recuerdo estar sentada por la noche llorando, inquieta... a veces quería morirme. No era una niña mala, pero en cuanto me pasaba de la raya mi madre enseguida me decía lo traviesa que era y cómo la estaba "volviendo loca". Quería ser una buena chica, me esforzaba en el colegio, hacía lo que me decían, pero siempre había algo que ocurría y yo metía la pata. Era imposible ganar.

Recuerdo que una vez estábamos en un lago y mi madre me ordenó que fuese al coche y le trajese su crema de protección solar. Debí de haberme quejado mucho porque de repente mi madre dio un salto malhumorada y dijo: "muy bien. Ya la voy a buscar yo, niña mimada y tonta". Tenía que hacer algo porque me moría de la ansiedad y así fue como ocurrió. No sé muy bien cómo, pero de repente todo me dio igual, era una especie de odio muy fuerte hacia mi madre, que es muy difícil de explicar. No me gustaba ella y no la necesitaba, así que me empecé a apartar. A los 10 años ya empecé a ser muy independiente.

A medida que fueron pasando los años, desarrollé una especie de coraza a mi alrededor y descubrí que nadie podía herirme si todo me daba igual. Por desgracia, mi coraza nunca dejó de crecer y ahora mi marido me acusa de ser demasiado reservada y distante. Incluso mis amigos me critican llamándome "la princesa de hielo".»

Ese alejamiento de Laurel le funcionó cuando era pequeña y, por esa razón, lo convirtió en una característica de su forma de vida.

Si una estrategia de control funciona mejor que otra a la hora de reducir la ansiedad, seguramente se repetirá. Tomemos el ejemplo de un niño con un padre alcohólico. Seguramente este niño desarrollará un hábito de rigidez emocional, aprendiendo a pensar antes de reaccionar, ya que habrá comprobado que ahí puede residir la diferencia entre una noche tranquila o una noche llena de problemas. Considerando esa situación, una estrategia como la rigidez emocional puede ser muy efectiva, pero, una vez se desarrolla el músculo del hábito, puede convertirse en una característica permanente de su vida psíquica. En el ejemplo anterior, la madre de Laurel ya había muerto hacía años, pero la estrategia de tortuga de Laurel, apartándose de la vida con su coraza, continuaba siendo la misma. ¿Por qué? Por hábito y, una vez el hábito es seguro, se ignora que se trata de costumbre y lo aceptamos como si fuese nuestra nariz o el color de nuestros ojos. Forma parte de quien somos.

Autopreparación, principio de curación 5

La inseguridad es un hábito y todo hábito puede romperse.

La vida cambia, pero los hábitos persisten

En primer lugar es importante hacer una rectificación: a pesar de lo vital que es la información contenida al buscar los orígenes, no es indispensable para sus objetivos generales de Autopreparación. La causa por la que lo pongo de manifiesto es porque en cualquier autoexploración, cuando se confía en datos pasados e históricos, normalmente se trabaja con información incompleta. No hay duda de que buscando las causas puede ofrecer una ventaja definitiva a la hora de seguir tratando con las futuras escaramuzas de su Niño Inseguro, pero no sustituye nunca el centro primario de su programa de preparación: la Autocharla.

Si se vuelve demasiado obsesivo respecto a cada experiencia que puede haberle herido en el pasado, acabará desperdiciando un magnífico tiempo que podría dedicar a trabajar con su preparación de Autocharla. Si no puede establecer ninguna relación con el pasado, deberá contentarse con una explicación más accidental de los hábitos que perciba: «Siempre he sido tímida y reservada» o «Siempre me he preocupado». Recuerde que la información que gana al establecer las causas es sólo un componente más en el programa de Autoayuda y, a pesar de su importancia, no la resalte.

Puede empezar con algunos retos sencillos como «¿Por qué me deprimió aquel cumplido?». Respuesta: «Supongo que en el fondo pienso que no me lo merezco». Es importante que sea consciente de todo hábito de inseguridad que puede estar dirigiendo sus reacciones. Asimismo, si no sabe las causas o no está seguro puede hacer hipótesis. Por ahora no se preocupe por cometer fallos, ya que los resultados son mucho más importantes que la precisión.

La información definitiva: la verdad

Aparte de preguntar por qué, hay otro aspecto en el buscar las causas que puede establecer una notable mejoría en su preparación: averiguar la verdad. Si la ansiedad o la depresión están representadas en una cara de la moneda, la verdad es la otra. Se trata de darse cuenta de que su vida no tiene por qué estar guiada por los hábitos de su Niño Inseguro, de que tiene una elección. No se trata sólo de reconocer que vivir sanamente es una elección, sino que hallar la verdad también requiere poseer la valentía para perseguirla. «Porque mi Niño Inseguro diga que no puedo enfrentarme a esta situación, no significa que no pueda. Siempre puedo probar, ¿no?» ¡Claro que sí!

Autopreparación, principio de curación 6

Pensar de forma saludable es una elección.

Observe los siguientes ejemplos. La columna de la lista izquierda contiene afirmaciones pasivas, indefensas y victimistas (guiadas por el Niño Inseguro) y las de la derecha contienen enunciados constructivos y anticipatorios con el objetivo de buscar los orígenes.

Pasivo	Anticipatorio
Me siento culpable siempre que digo «no».	¿Por qué creo que no tengo el derecho de decir «no»? No sé, quizás porque cuando era pequeño y lo decía me castigaban. No estoy seguro, pero la verdad es que *tengo derecho.* ¿Qué me impide el darme permiso a mí mismo?
No soy capaz de hablar en público.	¿Por qué siento ansiedad en frente de otras personas? ¿Se trata de vulnerabilidad? ¿Acaso creo que tengo que ser perfecto?
	El hecho de que mis padres nunca estuviesen satisfechos conmigo no significa que no pueda aprender a creer en mí mismo y a no estar tan preocupado por meter la pata.

Pasivo	Anticipatorio
Me deprime tanto hacerme mayor.	¿Por qué creo que es tan malo hacerse mayor? ¿Voy a perder mi atractivo sexual, mi apariencia o mi salud? Tal vez se trate de no controlar tanto la vida. Siempre he sido capaz de gustar a la gente, pero ahora seguramente ya no lo haga. Lo que necesito es un mayor sentido de seguridad y autoestima que vaya más allá de lo superficial o físico.

Siempre que sea una víctima de puntos de vista exagerados y esperpénticos como las afirmaciones pasivas que acabamos de exponer, se sentirá totalmente hundido. Cuando lo único que ve es pánico y ansiedad, créame, uno cae en picado como el plomo y sobrevienen los sentimientos de impotencia e indefensión, por lo que parece que no se puede hacer nada al respecto. En cambio, en las afirmaciones anticipatorias y de búsqueda de los orígenes, empezar con una premisa de pérdida de control no supone más que un problema que puede solucionarse.

Sencillamente pregunte «por qué»

Preguntar «por qué» acaba desvelando el misterio de su estilo de vida irracional. Se quedará perplejo al saber cuántas personas sensibles al control caminan con paso pesado cada día, aceptando ciegamente su destino autoimpuesto, sin preguntarse por qué; sencillamente aceptando su suerte en la vida. Cuando uno llega hasta el final y se pregunta: «¿Por qué lo estoy haciendo?», entonces está reconociendo implícitamente que tiene una elección. Cuando haya comprendido que realmente tiene una elección, se preguntará: «¿Por qué *escojo* hacer esto?». Y dejará de ser una víctima del control, liberada por la verdad. Las víctimas, por definición, no tienen elección, pero cuando usted entienda el «por qué» de su control empezará a entender el motivo de su inseguridad. Con esta información, podrá empezar a desafiar esta razón con su realidad actual y explorar otras opciones más saludables.

Reflexión respecto a la Autopreparación

Preguntar «por qué» es el primer paso
para entender que tiene elección.

El ataque de los rizos de Jane

Jane, una joven abogada muy enérgica, me llamó un día muy pronto por la mañana con un ataque de pánico porque tenía «malos pelos» (¡y no le estoy tomando el pelo!). «Tengo la reunión más importante de mi vida dentro de tres horas», dijo, «y tendrías que ver qué pelo tengo... ¡parezco la señora de la limpieza! No puedo ir a esa reunión. De ninguna forma. Es algo horrible... nadie me puede ver así. ¿Qué voy a hacer?».

Durante mi vida profesional, me han despertado por muchas razones, pero nunca por una emergencia de malos pelos. Incluso siendo generoso, ¿acaso se podría a nivel racional considerar esto como una crisis? Sin embargo, Jane estaba convencida de que se trataba de una emergencia. «No me lo puedo creer», seguía, «voy a echar por la borda esta oportunidad por este maldito pelo. Pero hoy no puedo ir... ¡no *puedo* ir! Estarán obligados a darle el caso a Larry».

Usted y yo, lejos del pánico de Jane, podemos ver claramente que el tener malos pelos era una nimiedad. Sin embargo, para ella era un grave problema. Es obvio que a todos nos gusta tener buen aspecto y muchos nos sentimos frustrados cuando no lo conseguimos, pero ¿usted dejaría pasar una oportunidad única en la vida porque los rizos no le quedan bien? Espero que no.

¿Y usted? ¿Cuándo fue la última vez que hizo una montaña de un granito de arena?

Una lección de historia

He mencionado que la Autopreparación sólo está relacionada a veces con el historial de nuestros síntomas. Aunque esto es especialmente cierto para la aplicación de la Autocharla, cuando se quiere llegar hasta el final, se busca cualquier pista, pasada o presente, que le ayude a recabar información sobre cómo se distorsionó su pensamiento en un principio.

En el caso de Jane, al entender un poco su historia (además de su percepción actual) aclaramos mucho sus pautas emocionales. Entender la reacción excesiva de Jane será más fácil si se entiende lo que ella llama su imagen profesional y las raíces de ésta. Para realizar este tipo de exploración histórica no necesita un psicólogo ni años de terapia, tan sólo un poco de sentido común.

Los padres de Jane eran egoístas, personas que no mostraban cariño por ella ni se preocupaban por su papel como padres. Por ejemplo, la madre de Jane muchas veces olvidaba prepararle la cena: «Oh, lo siento», le decía, «Mamá ha comido antes y se ha olvidado de hacerte la cena. Me iba a poner a hacerla, pero...». Dado que creció en un entorno tan descuidado, Jane empezó a sentir sensaciones intensas de abandono e inferioridad que se sucedieron a lo largo de su vida. Esta inferioridad no había quedado enterrada y Jane lo sabía, pero la aceptaba como parte de su vida.

Al crecer, su único refugio fue el colegio. Con su graciosa apariencia que comparaban a Shirley Temple y sus buenos hábitos de estudio, enseguida se convirtió en una de las preferidas de los profesores. Todo lo que le importaba en el colegio era ganarse atención y admiración, así que se convirtió en su verdadera salvación. El colegio le aportó lo que no conseguía en casa: un sentido de valía y orgullo. Siempre y cuando pudiese controlar su imagen, nadie sabría lo que se escondía dentro y lo *inútil* que se sentía. Jane era una estudiante de sobresalientes, encabezando siempre la clase en el instituto e ingresando en la facultad de derecho. En el bufete de abogados para el que trabajaba en ese momento, su popularidad y su excelente trabajo eran muy admirados y cada vez le daban casos de clientes más importantes. Siempre daba el 110% de esfuerzo y decía orgullosa que era una «adicta al trabajo».

A pesar de su brillante futuro, emocionalmente Jane no iba mucho más allá de esa sensación de inferioridad de su infancia. Se veía a sí misma como un engaño y, cuando era pequeña, siempre creyó lo que le decían sus padres. Después de haber estado viviendo sola durante bastante tiempo, seguía creyendo que, al igual que sus padres, la gente se acabaría dando cuenta de que era una inútil. A toda costa, tenía que evitar que se supiese este secreto.

Teniendo en cuenta su pasado, no resulta sorprendente que Jane desarrollase una fuerte necesidad de control. Trabajaba muy duro para controlar lo que la gente sabía, lo que sentía, lo que pensaba e incluso lo que veían cuando la miraban. Pensaba que todo esto era necesario debido a su secreto, su inutilidad.

La llamada de Jane aquella mañana era un grito de pérdida de control sobre su preciada apariencia. Sin su imagen, se sentía desnuda y, puesto que todo en su vida se sostenía gracias al entramado del control, una vez se sentía expuesta, una vieja y conocida avalancha emocional empezó a echarse sobre ella. Creía que si sus compañeros de trabajo la veían así empezarían a pensar de ella de otra forma y ya no querrían estar con ella, así que poco a poco la irían rechazando, como ocurrió con sus padres.

¿Le parece extremo? Sí, pero si combina el historial de inseguridad de Jane creado con los años en que se impuso un modelo de conducta, se puede entender cómo y por qué ocurre. La reacción de Jane es una vívida ilustración de cómo una montaña se crea a partir de un grano de arena o, en el caso de Jane, a partir de malos pelos. La historia de Jane, además, también revela un aspecto importante sobre la naturaleza general del control: está guiada por la inseguridad.

La inseguridad es el fondo de la cuestión sobre el que descansa el control. La inseguridad de Jane no tenía nada que ver con su desempeño profesional porque, durante toda su vida, había demostrado ser de las mejores. Por el contrario, su inseguridad era una extensión de su sentido subyacente de inutilidad. Su alto desempeño era sólo una máscara para preservar ese secreto tan bien guardado.

Separar los hechos de la ficción personal

Durante la terapia, la tenacidad y la sólida ética profesional de Jane demostraron ser un bien indispensable para desmantelar su inseguridad. Al emplear la Autocharla junto con otras técnicas de la Autopreparación expuestas en este libro, Jane empezó a discernir enseguida los hechos de la ficción personal. Su nueva imagen, más realista, le ofrecía una comodidad y seguridad que nunca había experimentado. Aprendió una verdad muy simple que la acabaría liberando. Aprendió que no había nada malo en ella, que nunca había habido nada malo, sólo que no lo sabía.

Jane también acabó comprendiendo que su tendencia a exagerar y sacarlo todo de sus casillas la hacía especialmente vulnerable a la ansiedad debido a esa inutilidad que percibía. Cuando era una niña no poseía las herramientas necesarias para combatir estos sentimientos de inseguridad. ¿Qué niño las posee? Así que lo mejor que podía hacer era intentar evitar el dolor aprendiendo a controlar las circunstancias.

A medida que fue floreciendo su sentido de seguridad, Jane se enfrentaba a un último reto, ya que saber que no había nada malo en ella no era suficiente. Tenía que *sentir* que no había nada malo en ella. Para eso, tuvo que dar un salto emocional de fe y pisar un territorio desconocido. La Autopreparación pavimentó el terreno, eliminando su confusión; ahora ella debía tomar la decisión: ¿Se guiaría por pensamientos retorcidos y perjudiciales o por la verdad? Jane se decantó por la verdad, así que tuvo que caminar en sentido contrario a sus pensamientos neuróticos y arriesgarse a creer, a *creer de verdad*, que no había nada malo en ella y, poco a poco, la necesidad de control empezó a evaporarse.

Ver y comprender la «verdad» (es decir, una visión objetiva de quién es usted) es haber ganado la mitad de la batalla. La otra mitad consiste en aceptar y vivir de acuerdo a esa verdad. Sin embargo, puesto que muchas personas han sufrido las heridas del pensamiento perjudicial durante tanto tiempo, al principio se ven dentro de una nube de confusión y no saben diferenciar bien la verdadera verdad de la verdad neurótica. Una regla que es muy útil es mostrarse escéptico ante cualquier «verdad» que parezca negativa (por ejemplo, «Soy un tramposo y un borracho. No me importa nadie más que yo. Me da igual a quién haga daño. La vida es una mierda»).

Si se dan las circunstancias apropiadas, la seguridad emocional y el pensamiento racional, las personas acaban descubriendo siempre que su verdad, su propia verdad, es positiva y compatible con otras. Es el dominio absoluto de su inseguridad la que produce esas verdades falsas, negativas y hostiles. Por ahora, sencillamente confíe en que mientras continúe estirando ese pensamiento encorvado, la verdad se le acabará revelando. Es como si fuese la cima de una montaña que está cubierta por las nubes y que espera que usted la descubra. No obstante, hay dos aspectos de los que hay que ser consciente:

1. La Autocharla y el llegar hasta el final, eliminando cualquier pensamiento del pensamiento del Niño Inseguro, le permitirá advertir la verdad.

2. Apartarse del pensamiento perjudicial del Niño Inseguro ya constituye ganar el 50% de la batalla. El otro 50% es adherirse a la verdad.

Como Jane, usted puede aprender a liberarse del control excesivo y a empezar a confiar en su capacidad innata para sobrellevar la vida, algo que aprenderá mediante la preparación básica. Si usted quisiese correr en una maratón, tendría que establecer una base que consistiría en un entrenamiento de muchos kilómetros a la semana. Sin esa base adecuada, no podría saltar los obstáculos y, además, correría el riesgo de lesionarse. La Autopreparación psicológica, al igual que la preparación de una maratón, también requiere una base que le enseñará la Autocharla y el llegar hasta lo más hondo. Sobre esos cimientos de claridad mental se sostendrán el resto de los pisos. Cuando ya haya determinado los cimientos, estará listo para seguir con la construcción.

Quedarse enganchado a algo

En la historia de Jane, la tendencia a exagerar problemas empezó con un pequeño eslabón; en su caso, los malos pelos. En cuanto la inseguridad encuentra un pequeño eslabón al que engancharse, es realmente difícil mantener cualquier perspectiva objetiva y, entonces, comienza el círculo vicioso:

> Engancharse a algo → centrarse en esa experiencia que nos ha enganchado
> (por ejemplo, teniendo pensamientos de ansiedad) → perder la
> perspectiva → magnificando o exagerando el problema (haciendo una montaña
> de un granito de arena) → perdiendo la perspectiva aún más → etc.

Aquí hay algunas situaciones típicas a las que las personas suelen engancharse. ¿Le resultan familiares?

- ¿Se le hace un nudo en el estómago cuando la luz del semáforo se pone roja? ¿Y cuando queda atrapado en una caravana?

- ¿Le cuesta aceptar las críticas? Si alguien le critica, ¿sale a la defensiva?

- Cuando pierde, ¿le parece el fin del mundo?

- ¿Tarda muchísimo en terminar una tarea que no le gusta?

- ¿Tiene miedo a los puentes, a los túneles, a los lugares al aire libre o a los ascensores?

- ¿Le provoca ansiedad enfrentarse a alguien?

- ¿Le parece un verdadero problema pedir ayuda?

- Cuando está enfermo, ¿exagera su malestar?

- ¿Lo pasa mal cuando alguien está enfadado con usted?

Cualquiera de estas nimiedades puede convertirse en un eslabón al que se aferra la inseguridad y convertirse en un grave problema (en una montaña).

Cómo conseguir pistas

Espero que se esté convenciendo de lo vital que es la Autocharla y el llegar hasta el final. Al eliminar los pensamientos de su Niño Inseguro, puede asegurar que la ansiedad y la depresión no gobernarán su vida nunca más. Llegados a este punto en el que usted empieza a iniciar su preparación, está en el lado más ancho del embudo y, por eso, cualquier información puede serle útil. Con el tiempo, cuando se vaya acercando cada vez más a las trampas concretas dispuestas por la inseguridad, será más discriminatorio con la información. Por ahora, maximice las ganancias aprendiendo a aceptar y tomar todas las pistas que se le presenten. Tenga curiosidad y recuerde que todo lo que hace que se sienta ansioso o deprimido debe tener un desencadenante inicial, el pensamiento inseguro. Pregúntese: «A ver, ¿en qué estaba pensando exactamente antes de sentirme tan deprimido?».

Autopreparación, principio de curación 2

Los pensamientos preceden a los sentimientos, las ansiedades y la depresión.

Al principio le sorprenderá lo mucho que el Niño Inseguro irrumpe en su vida. La historia de Sam demuestra cómo una experiencia en principio negativa puede convertirse en una oportunidad positiva:

A Sam no le gustaba nada tener que tomar el autobús por las mañanas para llegar hasta Manhattan, su lugar de trabajo, sobre todo cuando tenían que cruzar el puente George Washington, ya que experimentaba verdadero pánico y desorientación. Su ansiedad era tan fuerte que los domingos por la noche ya empezaba a sentirse inquieto y temeroso con sólo pensar en la semana de trabajo que le esperaba y en el autobús hasta llegar al trabajo. Incluso pensó en dejar su trabajo, altamente lucrativo, por uno en Jersey para dejar de ir en autobús. Entonces fue cuando me llamó.

Utilizando la Autocharla empezamos a dirigir el pensamiento de Sam y también su enfoque de ese pensamiento. En vez de contemplar el puente como algo negativo que había que temer, empezó a observarlo como una oportunidad para aprender, como un profesor que podía ofrecerle pistas sobre el mundo retorcido de su Niño, lleno de pánico y temor. Cuando despertó esa curiosidad, la situación empezó a cambiar.

Sam iba al trabajo cada día con la intención de «conseguir» pistas y se convirtió prácticamente en un juego para él. Su curiosidad empezó a retar a su ansiedad y, en cuanto era consciente de cualquier ansiedad, «rebobinaba» su pensamiento y buscaba los pensamientos de su Niño Inseguro. Ya no era una víctima de su ansiedad e incluso tenía ganas de cruzar el puente para descubrir sus secretos. A Sam le encantó averiguar que, cuando observaba el puente como un reto y como una oportunidad para su crecimiento personal, su ansiedad disminuía dramáticamente.

La verdad es que la fobia a los puentes de Sam no era más que una percepción distorsionada de su Niño que creía que no estaba a salvo, es decir, que no tenía el control. A partir de esta noción histérica, su Niño Inseguro empezó a amontonar las imágenes de cables rompiéndose y cayendo al río Hudson. Estaba claro que el Niño de Sam sólo buscaba un eslabón al que aferrarse y proyectar su inseguridad.

Usted, como Sam, no tiene que temer enfrentarse a los retos que le propone la vida. Cuando empiece a reconocer el pensamiento de su Niño Inseguro estará preparado para el último paso: ¡dejar que se marche! Cuando comprenda lo tonto que es el pensamiento de su Niño Inseguro, podrá ordenarse a sí mismo dejar de prestarle atención y cambiar de emisora.

Sin embargo, hay que tener en cuenta una precaución a la hora de conseguir pistas: *observe, pero no se explaye.* Si no puede rebobinar sus pensamientos y reconocer a su Niño Inseguro, déjelo. Ya encontrará pistas en otra ocasión y si no en otra. Lo que no necesitamos es que sienta frustración y que ésta provoque más ansiedad.

A continuación, expanderemos su programa de preparación personal. Para que la Autocharla y el llegar hasta el final sean más efectivos, tendrá que combinarlo con la motivación.

Sugerencias para la preparación

Ejercicio 1: Utilice las experiencias para llegar hasta el final

Cada día debe estar al acecho de cualquier conflicto (recuerde que los conflictos y luchas son oportunidades para aumentar su músculo psicológico). Utilice una tabla parecida a la expuesta para anotar sus respuestas (estos datos serán una parte importante de su diario de preparación, que le presentaremos en el capítulo siguiente).

Expresiones de control que contaminan mi vida.	Buscar pistas (del pasado o del presente) para explicar los hábitos de mi Niño Inseguro.	Encontrar mi verdad y saber reconocer que tengo elección (anote cualquier información adicional que haya observado).

Ejercicio 2: Quedarse enganchado

Si experimenta reacciones exageradas en las que «hace un castillo de un grano de arena», intente averiguar cuáles son los desencadenantes. Haga una lista de los aspectos a los que se queda enganchado (por ejemplo, atascos, situaciones que hagan que se ponga a la defensiva, temores, etc.). Es buena idea familiarizarse con la lista y no dejar que su Niño Inseguro le pille por sorpresa.

Ejercicio 3: Trabaje el pensamiento anticipatorio y el pensamiento pasivo

Busque cualquier elemento pasivo en su visión de la Autopreparación. Recuerde que el pensamiento pasivo es la víctima y lo reconocerá si le deja un sentimiento de impotencia, desesperanza o duda.

Empiece haciendo una lista de los elementos pasivos en la columna de la izquierda y, una vez los haya reflejado, intente encontrar respuestas anticipatorias. Estas respuestas deberán estar orientadas a la acción y serán frases que asuman cierta responsabilidad. Haga una tabla similar a la que le ofrecemos como muestra e inclúyala en su diario. De vez en cuando, observe la lista para releer las frases anticipatorias, que le servirán como reflexiones motivadoras.

Elementos pasivos	Elementos anticipatorios

Ejercicio 4: Atrapar pistas

Todo conflicto o lucha presenta una gran oportunidad para conseguir pistas. En vez de temer o evitar esas situaciones, cambie su punto de vista, y contémplelas como oportunidades y retos.

11

Motivación

Felicidades. Una vez finalizado este capítulo, habrá completado las dos primeras fases del programa de Autopreparación. Ahora ya posee un conocimiento básico de la ansiedad y la depresión y del arma más poderosa de la Autopreparación: la Autocharla. Aun así, para poder *garantizar* su éxito, su programa de preparación necesita añadir un último componente de *seguimiento,* la motivación. Sí, lo ha leído bien, he dicho que puede garantizar su éxito siempre y cuando mantenga la actitud adecuada.

Ajuste de actitud: cambiar de onda

En el capítulo anterior, leyó sobre cómo cambiar el pensamiento pasivo y derrotista a pensamiento anticipatorio y positivo. En este capítulo aprenderá cómo completar este cambio de forma más concreta. Todo se basa en encontrar y mantener la actitud adecuada, pero ¿qué es la actitud adecuada? Muy sencillo, es la que requiere éxito.

¿Cuál es entonces la diferencia entre actitud y motivación? *Actitud* es una orientación mental, una posición emocional como «Sí, vale, soy una buena persona». Las actitudes moldean quién y qué es uno. Si su actitud apoya su ansiedad o depresión, entonces sufre, pero, si por el contrario, su actitud apoya una ambición sana y constructiva, entonces se sentirá mejor. Por otro lado, es importante especificar que la motivación es la habilidad y la energía que se requieren para mantener dicha actitud. Podríamos decir que si la actitud es el fuego, la motivación es el fuelle.

Ajustar su actitud no tiene por qué ser difícil, se trata sencillamente de modificar su postura mental. A veces esto puede ser tan fácil como cambiar de emisora y, cuando ocurre, todo lo que parecía negativo y frustrante se sustituye por el fuego y la determinación de tener éxito. Piense en la cantidad de veces en las que ha pensado en tirar la toalla. Si no se acuerda de ejemplos concretos, lea la lista de la izquierda y compárela con los ajustes de actitud de la derecha.

Actitud insegura	Ajuste de actitud
¡No puedo hacerlo! Es demasiado difícil. Nunca podré terminarlo, así que ¿para qué voy a intentarlo siquiera?	Vale, tengo que motivarme. La verdad es que puedo hacerlo. Ya sé que estoy cansado, pero no quiero seguir viviendo así. ¡Hoy voy a trabajar duro!
¿Cómo sé que puedo enfrentarme a la vida?	Bueno, me las he arreglado para sobrevivir durante todos estos años, ¿no? Supongo que eso demuestra algo. Es hora de arriesgarme a creer lo que sé que es verdad, ¡puedo hacerlo!
¿Y si no le gusto a nadie?	Claro que voy a gustarle a la gente. Voy a asistir a esa fiesta y voy a ser sociable, alegre y pasármelo de maravilla. ¡Seguro que lo hago bien!
No puedo hacerlo. ¡Tengo demasiado miedo!	No hay nada malo en tener miedo, pero la verdad es que sí puedo hacerlo. Mi Niño Inseguro quiere que crea que no puedo, para evitar el dolor, pero sólo es imposible para él, no para mí.
No hay ninguna esperanza.	Estoy cansado de sentirme impotente. Estoy harto de sentirme siempre fatal. Me merezco algo mejor.

George Carlin suele decir: «Si intentas fracasar y tienes éxito, ¿qué has hecho?». Su Niño Inseguro intenta fracasar porque para él fracasar es su propio éxito. No lo permita. Encuentre una refutación y empiece a apoyarla con hechos de su vida.

Actitud positiva + motivación = éxito

Una actitud que refleje esperanza, deseo y confianza en uno mismo es el primer paso, pero sin la motivación adecuada, verá que le será muy difícil, por no decir imposible, sostener dicho posicionamiento. Piense en la motivación como una fuerza que moviliza la energía requerida para mantener su actitud y hacer que avance hacia una vida más sana y productiva. La pregunta clave es: ¿Cómo se puede movilizar esa energía positiva? Se empieza siendo uno su propio entrenador y siguiendo dos puntos básicos:

1. No se puede enseñar a motivarse, sólo se puede inculcar.

2. Un buen preparador es un buen motivador.

Si su objetivo es combatir la ansiedad o la depresión, tenga en cuenta que las técnicas y la preparación no bastan, ya que, a menos que se acompañen de la motivación adecuada, pueden agotarse antes de que pueda alcanzar la cima, en cuyo caso, usted no podrá más que encogerse de hombros y llegar a la conclusión de que ha perdido el tiempo. En *La Divina Comedia* Virgilio, el representante de la razón y el entendimiento humano, guía a Dante por el infierno con el propósito de alejarle del error. En la Autopreparación, su Virgilio, su guía hacia un mejor entendimiento es su programa de formación. Sin embargo, tal y como Dante averiguó, el entendimiento sólo puede llegar hasta cierto punto y se necesita algo más para salir definitivamente de las profundidades. En el caso de Dante fue otra guía, Beatriz, un símbolo de la esperanza y el amor divino. Su programa de preparación le aportará su propia Beatriz, es decir, su propia actitud de esperanza y convicción. Virgilio y Beatriz, entendimiento y esperanza, información más motivación, será lo que necesitará. Con la Autocharla podrá conseguir la información y usted tendrá que aportar la motivación.

Charla de ánimo

Vale, vamos a prepararnos para levantar esos ánimos. La charla de ánimo es otra forma de modificar su actitud. La única diferencia es que con la charla de ánimo, aparte de preocuparse por ajustar su actitud, también se preocupa por encender la motivación. El cambiar de ánimo se diferenciaría porque sería un tipo de ajuste más intelectual que intentaría orientar su pensamiento hacia un posicionamiento más sano. En cambio, la charla de ánimo tiene un propósito más emocional. Hace tiempo, había un anuncio en la televisión en el que un chico se daba bofetadas poniéndose loción para después del afeitado y acababa diciendo: «Eso es lo que necesitaba». La charla de ánimo sería esa bofetada que llama nuestra atención y que despierta la energía.

Cuando sale bien, una buena charla de ánimo le deja con una actitud positiva de «puedo hacerlo». ¿Por qué? Porque se enfrenta cara a cara con su Niño Inseguro y le reta con un ajuste de actitud y con el depósito hasta arriba de motivación. Sin embargo, no subestime a su rival, ya que éste puede pelear duro lanzando toda una serie de actitudes distorsionadas y firmes. Aquí le exponemos algunos ejemplos de actitudes de mira reducida y firmes con las que podría toparse:

- Afirmaciones con «Sí, pero...».

- Afirmaciones con «No puedo».

- Afirmaciones con «Debería».

- Afirmaciones con «Tengo que».

- Hipótesis negativas con «¿Y si...?».

- Afirmaciones desmoralizantes como «No soy lo suficiente (inteligente, alto, guapo, rico, educado, etc.)».

- Quejas como «Es demasiado (difícil, confuso, largo, complicado, etc.)».

Vamos a plantarle cara a cada uno de esos argumentos:

Afirmaciones guiadas por una actitud distorsionada	Charla de ánimo
«Sí, pero...»	«No, no hay ningún "sí, pero" que valga. La respuesta es "sí" sin lugar a dudas. Puedo ser una persona muy fuerte y lo seré. No tengo que infravalorar todo lo positivo que tengo. ¡Basta de "peros"! A partir de ahora voy a decir "Sí" sin dudarlo.»
«No puedo...»	«¿Quién dice que no puedo? Quizás mi Niño Inseguro, pero yo no. Puedo salir adelante si soy capaz de creer en mí y, sí, estoy dispuesto a creer en mí a partir de ahora.»

Afirmaciones guiadas por una actitud distorsionada	Charla de ánimo
«Debería...»	«No tengo que actuar de forma compulsiva. Si a mi Niño Inseguro no le gusta, peor para él. Yo voy a vivir a mi manera y viviré como quiera.»
«Tengo que...»	¡Tonterías! No tengo que hacer nada que no quiera. Lo único que tengo que hacer es ser fuerte para aceptar esta verdad y lo soy.»
«¿Y si...?»	«No tengo que anticipar la vida, sencillamente tengo que ser fuerte para enfrentarme a ella. Confío en que puedo sobrepasar cualquier obstáculo que la vida me tenga reservado sin vivir en constante miedo.»
«No soy lo suficiente inteligente...»	«Soy bastante inteligente como para saber que mi Niño Inseguro está intentando buscar excusas. No tengo que ser de otra forma, lo que necesito es pensar de otra forma ¡positiva! Soy inteligente.»
«Es demasiado difícil...»	«Es difícil, pero puedo apañármelas. Puedo con todo lo que el Niño Inseguro quiera echarme encima. Puedo enfrentarme a todo porque he decidido no someterme a él. He elegido salir adelante y podré con todo.»

Una charla de ánimo es una oportunidad para reforzarse a uno mismo y es el único momento en el que es bueno pensar en blanco y negro. No hay lugar para las actitudes intermedias. Usted tiene un trabajo y se trata de preparar al equipo para los retos que les esperan. Por eso, a veces funciona muy bien pensar en uno mismo como un entrenador en vez de como una simple persona. Cambie el guión del Niño Inseguro por el de un buen entrenador. Así podrá saber lo que necesita su equipo para tener una actitud positiva y alentadora sin ningún tipo de duda o indecisión. Cuando se da una charla de ánimo a sí mismo, es importante tomarse todo el tiempo que requiera para meterse dentro de su papel de entrenador. Después, deje que surjan las palabras elocuentes.

Acabar con la inercia mediante la charla de ánimo

La razón para estar motivado en primer lugar es la inercia. Ésta es su tendencia natural para resistirse a los cambios. Por eso, aunque sienta ansiedad y depresión y un malestar general, su Niño Inseguro querrá mantener dicha situación. Para poder traspasar la inevitable negatividad e inercia del Niño, tendrá que estar preparado. Esté alerta y entonces ¡déle una patada! Recuerde que necesita ser alentador consigo mismo con charlas de ánimo regulares. Tenga en cuenta lo siguiente:

- Un poco de inercia es inevitable (las dudas son normales).
- Los clichés de motivación son útiles. Encuentre uno que funcione bien en su caso y utilícelo.
- Visualícese a usted mismo como el «entrenador», animando a todos en los vestuarios y emanando energía positiva.

Al ser su propio entrenador y motivador, todo estará en sus manos. Cuando quede atrapado en las garras de la ansiedad y la depresión, necesitará ser muy fuerte y entonces será cuando le irá mejor la charla de ánimo. Pese a sentirse abrumado y abatido, debe ser fuerte, aguantar, esperar el descanso y volver a combatir. Los esfuerzos acumulados de la Autopreparación acabarán derrotando al reino del Niño en su psique. Cada oportunidad para resistir o luchar contra el Niño será dar un paso más en la creación de fuerza para liberarse.

Es el momento

Me gustaría ser tan inteligente como los de Nike y ofrecerle un eslogan como «Just Do It» para que lo tuviese siempre en mente, pero su motivación no podrá provenir de mí. Usted hallará todos los eslóganes que funcionan y toda la motivación necesaria en su corazón. Ya ha vivido demasiado tiempo con dolor y sufrimiento y ahora es el momento de pasar a la acción, de exigir la calidad de vida que se merece.

Su Niño Inseguro no tiene el poder de arruinarle la vida. Sólo usted posee ese poder y su Niño hace lo que hace porque usted lo permite inconscientemente. Ahora usted posee un conocimiento mayor y ya no hay excusa que valga.

Espero que mi programa le pueda ayudar. Personalmente lo he utilizado durante años con mis pacientes y conmigo mismo y, por mi experiencia, le puedo decir que las respuestas que usted busca no son complicadas. De hecho, son bastante simples. Contemple su objetivo por lo que es, una forma para romper con los hábitos de su Niño Inseguro.

Poner todas las piezas juntas: el diario de preparación

Cuando me entreno a mí mismo para una maratón, me doy cuenta de que un diario de preparación es indispensable. Este diario debe contener notas que reflejen la distancia, el tiempo, las condiciones meteorológicas, las condiciones físicas, el ritmo cardiaco e incluso el estado anímico para poder analizar y comprender mejor cómo va evolucionando mi preparación. Hace un par de años, me costaba entender por qué había reducido mi rendimiento y mi resistencia general. Acudí a mi diario de preparación y revisé todas las entradas de los meses anteriores. No tuve que buscar demasiado, ya que enseguida observé que tras el entrenamiento de los miércoles de subir la colina, mis tiempos y mi rendimiento caían al menos durante los dos o tres días sucesivos. Cuando mi rendimiento se empezaba a estabilizar, volvía a subir la colina y así sucesivamente. La conclusión resultó obvia: ¡no me podía recuperar lo suficiente de esos entrenamientos tan fuertes en la colina! Empecé a tomarme un día libre después de hacer esos grandes esfuerzos y enseguida mejoró mi rendimiento.

La última parte (y a menudo también la más importante) del seguimiento es llevar un diario constante de la preparación. Tanto si corre en una maratón como si evalúa su progreso en la Autocharla, el diario de preparación es una herramienta indispensable para completar su conocimiento. A veces el diario le hará revelaciones asombrosas y, otras veces, le mostrará formas más sutiles de combatir las defensas de su Niño Inseguro. Además de ofrecerle una visión general del programa y de sus esfuerzos, el diario será una gran fuente de autoevaluación que le ayudará a hacer diversos ajustes sensatos al cabo del día en su entrenamiento. Como mínimo, dichos esfuerzos le aportarán un sentido de conexión entre su vida y sus luchas.

En cuanto a la motivación, su diario de preparación puede ser un bien muy valioso. ¿Hay algún lugar mejor para retar sus actitudes destructivas?

Sobre todo debe estar alerta para descubrir las pautas de actitudes auto-destructivas que muestre su Niño Inseguro mediante frases o palabras. Su trabajo como entrenador será motivarse a sí mismo para representar lo opuesto, un punto de vista sano, incluso si al principio no las tiene todas consigo. Cuando su Niño Inseguro diga «no», usted tiene que decir «sí». Cuando diga «negro», usted deberá decir «blanco». Escriba sus respuestas y reflexione. Cuando llegue a una afirmación positiva como «¡Puedo decir "sí"!», repítala a menudo y no desestime el valor de las afirmaciones positivas repetidas y repetidas. ¿Se acuerda de los trenecitos? «Creo que puedo, creo que puedo, creo que puedo...»

Aunque le sugeriré a continuación un formato para redactar las sugerencias y los ejercicios de preparación que hemos visto en los capítulos anteriores, su diario puede ser tan formal o informal como usted desee. No obstante, si para usted el llevar un diario significa una obligación, tenga cuidado, ya que normalmente significa que no está extrayendo lo suficiente de él. Quizás necesite poner más esfuerzo o dedicarle más tiempo, puesto que escribir el diario es una síntesis vital de los acontecimientos del día y debería contemplarse como una parte integral de su programa. Es importante que dé marcha atrás con frecuencia porque la comparación de sus esfuerzos diarios será la que le proporcione un conocimiento auténtico tanto de su progreso como de las áreas de resistencia.

El formato para el diario de preparación que sugiero debería incluir estos tres elementos clave:

1. Un apartado sobre los esfuerzos de la Autocharla.

2. Una revisión constante de sus esfuerzos de seguimiento y de llegar hasta el final.

3. Observaciones sobre cualquier incidente o información diaria.

Todas las personas que han llevado un diario pueden reafirmar que sentirse sorprendidos ante algunas frases y palabras que contiene no es nada raro. Escribir requiere emplear un hemisferio cerebral distinto del pensamiento, sobre todo si no se piensa demasiado y se deja que las palabras fluyan automáticamente. Se quedará perplejo de lo rápido que la escritura expondrá matices de su Niño Inseguro o de cómo aparecerán muestras de su inseguridad. Estas pruebas objetivas que obtendrá de su diario también funcionarán como catalizador para mantener su motivación. Por eso no debe nunca escatimar en esta parte de su programa de preparación.

Dado que el diario se convertirá en un valioso registro de sus esfuerzos, asegúrese de comprar un cuaderno, un diario o una carpeta que refleje esta importante función. Eche un vistazo a la muestra «Formato del diario de preparación» que he incluido en el apéndice. Puede copiar ese formato exactamente o modificarlo hasta que se ajuste a su estilo personal. No es necesario pasarse horas rellenando cada página cada día, sino que puede seleccionar la(s) hoja(s) que se adecuen a la necesidad de cada día. Por ejemplo, pongamos que hoy ha trabajado mucho en «disfrutar del momento» y ha destinado gran parte del día intentando relacionarse más con sus hijos y no haciendo caso a las exigencias de su Niño Inseguro. En ese caso, debería incluir y rellenar la hoja titulada «Aprender a deshacerse de los pensamientos negativos».

Le recomiendo que imprima bastantes páginas de cada hoja de trabajo, que las ponga en una carpeta con anillas y que utilice una cada vez que quiera actualizar el diario. Aun así, recuerde que lo más importante en el diario no es la cantidad, sino la calidad. Puede dedicarle tanto tiempo como quiera, pero si éste es un bien que escasea en su caso, sea selectivo y refleje sólo las observaciones más relevantes del día. Si, por el contrario, se da cuenta de que se está obsesionando con el diario, deberá tomarse tiempo libre y relajarse. Desafíe cualquier tendencia obsesiva, rígida o perfeccionista, porque lo peor que podría ocurrir es que su diario se convirtiese en una herramienta de su Niño Inseguro.

Puede empezar el diario hoy mismo. Cuanto antes empiece a acumular datos, mejor.

Sugerencia para la preparación

Charla de ánimo.

Es verdaderamente importante que se familiarice y se sienta cómodo con las charlas de ánimo. A lo largo del día, sea receptivo a cualquier oportunidad para visualizarse a sí mismo como el entrenador y darse una charla alentadora. Piense en blanco y negro, sea duro y, sobre todo, motívese. Busque esa actitud «puedo hacerlo» y foméntela.

Puede tomar como modelo para lograr su estilo de entrenador a una persona que haya influido en su pasado (un entrenador, un profesor, un cura, un escritor, etc.), una figura histórica como Knute Rockne, Eleanor Roosevelt, la Madre Teresa de Calcuta, Martin Luther King, etc., o crear un entrenador de ficción adecuado a sus necesidades. Lo mejor es que elija a uno que le dé esa energía y esperanza que necesita.

Se sorprenderá de lo efectiva que puede ser la charla de ánimo.

Cuarta parte

Autopreparación:
curar las distintas personalidades

12

Autopreparación para «Don Angustias»

Cuando iba al instituto vi una revista en una de las repisas de la biblioteca que llamó mi atención. En la portada había una caricatura de un niño al que le faltaban dientes, con la cara llena de pecas y el pelo despeinado que sonreía de forma astuta. Hubo algo en esa cara con mirada despreocupada por todo que me dejó hipnotizado de tal forma que ahora, casi cincuenta años después, sigo haciendo referencia a ella.

El pensar que había alguien tan apartado de todo, tan inconsciente y ajeno a toda preocupación, me hizo sonreír. Alfred E. Neuman, el niño de aquella portada, sabía algo que yo no podía ni concebir. Algo que confirmaba el eslogan: «¿Qué? ¿Preocupado yo?». Para mí, hasta entonces el eslogan había sido el contrario: «¿Qué? ¿Que puedo vivir sin preocuparme?». A diferencia de Alfred, mucha gente se refería a mí de broma con «Don Angustias».

Si usted ha pensado en usted alguna vez como «Don Angustias» entonces no es un extraño de la preocupación. Preocuparse, como ya sabe, es lo que mejor sabe hacer su Niño Inseguro. Si se considera una persona preocupada, entonces le serán muy familiares las hipótesis negativas con «¿y si...?» como «¿Y si me pregunta dónde he estado?», «¿Y si me pillan?», «¿Y si no lo hago bien?». Las hipótesis negativas son la primera línea de defensa de las personas que se preocupan por todo frente a las situaciones que se tuercen y en las que puedan perder el control. Circunstancias como el ponerse enfermo, cometer un error, confundirse, estar desprevenido o sentirse humillado o avergonzado son sólo unas cuantas cosas por las que se preocupan los «Don Angustias».

Reflexión respecto a la Autopreparación

El pensamiento exagerado distorsiona su pérdida de control.
La preocupación es un intento neurótico de recuperarlo.

¿Qué hay de malo en preocuparse?

¿Qué hay de malo en preocuparse un poco de vez en cuando? Pues, para la mayoría de personas, no hay nada malo, pero para un «Don Angustias», la preocupación no es inocente ni se produce de vez en cuando. La preocupación, sobre todo la crónica (que es la piedra angular de la ansiedad y la depresión) exige un precio psicológico que suele ser desorbitante. Físicamente nuestros cuerpos pueden reflejar el estrés y la tensión de la preocupación con dolores de cabeza, molestias estomacales, sarpullidos, insomnio, reducción de la respuesta del sistema inmunológico o incluso ataques al corazón, por no mencionar la ansiedad y la depresión. Tanto si se trata de frenar un resfriado como de ser susceptibles a padecer cáncer, no cabe la menor duda que nuestros cuerpos abominan la preocupación.

En el ámbito emocional, la preocupación no es mucho más positiva, puesto que nos desequilibra y hace que nos sintamos inseguros e inquietos. Nos convertimos en los pesimistas que ven el vaso medio vacío, moviendo con impaciencia las manos mientras intentamos anticipar lo que podría salir mal y cómo nos afectaría. Las personas angustiadas se preocupan porque su mundo se siente plagado de dudas y desconfianza. Si uno no puede creer en la vida, entonces está condenado a temerla. Si bien la preocupación suele conllevar muchos problemas, le ofrece a la persona el sentimiento de que está haciendo algo para prepararse ante los obstáculos. Bueno, supongo que se podría decir que escupir al viento es *hacer* algo.

¿Por qué nos preocupamos?

Por desgracia, los «Don Angustias» sienten que no tienen otra elección más que preocuparse. Para ellos, la preocupación es la única forma para sobrevivir cuando las cosas salgan mal. Piensan que si son un poco complacientes, perezosos o se relajan demasiado, ¡CHAS!, la vida les dará un golpe del que puede que nunca se recuperen. Si usted es una persona que se preocupa en exceso, seguramente está convencido de que si se preocupa lo suficiente puede llegar a anticipar (controlar) todas las hipótesis negativas que pueden darse y lograr dejar de preocuparse. De alguna forma, cree que se preocupa para dejar de preocuparse algún día.

A veces, la preocupación es una forma de control del peligro: puesto que espera lo peor, intenta minimizar el dolor y a veces la preocupación es sólo pánico traducido a pensamiento. Si, por poner un ejemplo, no puede creer que vaya a sobrevivir a esa importante reunión que tiene por la mañana, estará anticipando la pérdida de trabajo, su desgracia y el no tener ninguna oportunidad futura. Sin embargo, si ocurren todos estos presagios negativos, no espere poder dormir demasiado.

Recuerde que todas las formas de control, también las que expusimos en capítulos anteriores y no sólo la preocupación, son intentos para contrarrestar su inseguridad. Puesto que posee tan poca confianza en su capacidad para enfrentarse a la vida y salir victorioso de forma espontánea, empieza con las hipótesis negativas en un intento erróneo de averiguar qué puede salir mal antes de que ocurra. Se siente seducido por la noción de que puede averiguar lo que le depara el futuro (adivinación) y entonces se siente menos vulnerable o, como mínimo, más preparado. Sería como saber las preguntas antes de que se nos presenten en el examen. Era un intento para hacer algo, lo que fuese, antes de dejar que ocurriese la catástrofe.

Reflexión respecto a la Autopreparación

Intentamos controlar aspectos ante los que nos sentimos inseguros.

No me malinterprete, ya que yo no tengo nada en contra de la planificación. Además, ¿quién no estaría de acuerdo en que es buena idea prepararse antes de una presentación, comprobar el aceite del coche antes de un viaje largo o ponerse un chubasquero ante el mal tiempo? La anticipación en la vida no convierte a una persona en un «Don Angustias». El problema surge cuando su anticipación se centra en cosas que pueden salir mal, en lo negativo, y el sentido común se intercambia por un sentido distorsionado provocado por el Niño Inseguro.

Pongamos que ha oído que va a haber nevisca por la mañana y usted tiene que ir al trabajo. Sería de buen sentido común anticipar un tiempo extra para el trayecto y salir una media hora antes de lo normal. Hasta ahora no hay ningún problema. Ahora bien, ante la misma situación, la persona «Don Angustias» sale a la carretera media hora antes con las siguientes hipótesis negativas provocadas por su Niño Inseguro: «¿Y si me quedo atrapado en el atasco? ¿Y si tengo un accidente? ¿Y si el jefe no me cree?».

Puesto que estas hipótesis negativas están basadas en las proyecciones catastróficas de su niño, la preocupación deja de estar vinculada al problema real o a sus soluciones. «Don Angustias» sufre de una inseguridad crónica y a menudo intensa. En el ejemplo anterior, no es la dificultad en el trayecto de la mañana la que inicia las hipótesis negativas, sino que es la presunción insegura de la persona la que piensa: «Nunca me sale nada bien. Sólo sobreviviré si me preparo para lo peor».

¡Se me cae el cielo encima! ¡Se me cae el cielo encima!

A veces las personas que se preocupan en exceso suelen añadir un elemento de histeria a su preocupación. El resultado de este cóctel devastador podría ser lo que llamamos ataque de pánico, algo que conocen muy bien las salas de urgencias de los hospitales. Cuando se les dice a las víctimas, una vez realizadas las pruebas necesarias, que lo que parece un ataque de corazón, no es más que un ataque de pánico producido por la ansiedad, se sienten devastadas, incapaces de creer que las palpitaciones cardiacas, la sensación de pesadez mental, la desorientación y el sentido de muerte sean producto «de su cabeza». Más tarde en este capítulo conocerá el caso de Howard y Tammy, cuyo pánico a volar ilustra por qué los ataques de pánico se suelen describir como una de las experiencias humanas más aterradoras.

En circunstancias extraordinarias, los ataques de pánico son bastante comunes. Alguien que grite «fuego» en un teatro repleto de gente podría crear una reacción en cadena de pánico en la mayoría de la audiencia. Por lo tanto, podemos asegurar que el pánico en situaciones traumáticas es normal y bastante contagioso. Sin embargo, si usted es un «Don Angustias» y vive la vida con propensión al pánico, entonces esperemos que no haya nadie entre usted y la salida de emergencia. Los mayores problemas a los que se enfrentan las personas con preocupación excesiva no son los fuegos o los traumas, sino ascensores, puentes, espacios abiertos, miedo a volar, conducir, hablar en público, hacer exámenes y otras circunstancias comunes. De hecho, hay veces en que parece que no hay nada que precipite a un ataque de pánico, al menos nada que se pueda identificar en un principio.

Existe un cuento de tradición anglosajona en el que una bellota golpea a un Pollito en la cabeza y éste, que siempre estaba preocupado, está convencido de que el cielo se le cae encima. Echa a correr histérico por las calles y empieza a contagiar al resto de los animales (a la gallina, al pato, al gallo...) con su pánico. Al final el Pollito y sus amigos averiguan que es su pánico el que le está ofreciendo en bandeja un vale de comida al Zorro. La moraleja del cuento es que: cuando el pánico se apodera de una persona, ésta puede acabar devorada por él.

Hay un camino mejor

En cualquier tipo de confrontación, si mantiene la calma, además de pensar con mayor claridad, también se protegerá a sí mismo de forma más instintiva. En vez de limitarse a las reacciones distorsionadas del preocupado Niño Inseguro y a sus pensamientos limitados, ¿no es mejor confiar en la capacidad instintiva de su psique para hacer lo que sea necesario? Seguro que sí. Recuerde que la anticipación y la preocupación son sólo abstracciones: «Si ella dice eso, entonces le diré aquello y aquello...». Si, por el contrario, se arriesga a creer en sus instintos, confiará en el ahora y aquí, en las pistas que le proporcionará la Autocharla.

Si usted es un «Don Angustias» nato, entenderá este concepto, pero no confiará en él. Está comprometido con la creencia de que sólo sobrevivirá si está preparado para lo peor y, según el pensamiento retorcido de su Niño Inseguro, esto sólo ocurrirá si se preocupa. Digamos que inicio un experimento absurdo en el que, sin ningún tipo de provocación, le tiro una almohada a cada «Don Angustias» que entra en mi oficina. No me sorprendería si algunos de ellos estuviesen convencidos de que deberían haber anticipado esa reacción: «¿Por qué habré dejado que pasase sin estar preparado?».

Un «Don Angustias» cree (o al menos actúa como si creyese) que la vida es una especie de código matemático que pueden romper las hipótesis negativas si se esfuerzan y las practican durante mucho tiempo. Cuando algo les coge por sorpresa, mueven la cabeza y dicen: «debería haber sabido que esto iba a ocurrir». Un «Don Angustias» no permite el confundirse, puesto que cree que es demasiado peligroso: «¿Y si me vuelve a tirar una almohada en la próxima sesión?». Sin embargo, desgraciadamente la preocupación genera ansiedad, aprehensión y depresión, antagonistas probados del pensamiento claro y efectivo.

La simple verdad es que si decide conducir su vida de una forma rígida, sin concesiones, será menos efectivo y se convertirá en una víctima más del control. Una elección mucho mejor es «dejar que la vida pase» y verá cómo sin el logaritmo del pensamiento distorsionado y preocupado, podrá arriesgarse a vivir de forma más natural y efectiva. No hay mejor forma de liberar su pensamiento que dejando que fluya.

Si Dios quisiese que voláramos, nos hubiese dado alas

No hay ninguna discusión sobre la preocupación que quede completa sin tener en cuenta una de sus manifestaciones más familiares y públicas, el miedo a volar. El miedo a volar (o, tal y como me corrigió uno de mis pacientes, «no se trata de miedo a volar, sino a estrellarse») es la metáfora de la quintaesencia para cualquier «Don Angustias». Ese miedo es fóbico: las fobias se identifican cuando su miedo tiene una causa concreta como aviones, ascensores, puentes, etc. Debido a su naturaleza fóbica, el miedo a volar tiene especial relevancia en las personas sensibles al control, sobre todo para aquellas que son propensas al pánico. Incluso si le gusta contemplar el horizonte azul, este apartado le aportará información valiosa sobre la naturaleza con estrechas miras del control, así que no se lo salte.

El miedo a volar se las ha ingeniado para reunir al mayor número de «Don Angustias» que cualquier otra inseguridad (quizás el miedo a hablar en público sea más dominante, pero puede evitarse o esconderse de los demás). Puesto que quienes proclaman que lo padecen son cada año más numerosos, el miedo a volar se ha convertido en un gran negocio de libros, cintas, seminarios e incluso terapias que van desde la desensibilización hasta la hipnosis. Tarde o temprano, casi todo el mundo se siente presionado a volar, tanto si es para llevar a los niños a algún parque temático, por cuestiones de negocios o por la luna de miel.

El miedo a volar se ha convertido en un problema significativo que afecta a miles de personas cada día. Algunas, incluyendo a un famoso locutor de deportes norteamericano que se las apaña para cruzar Estados Unidos en un autobús especialmente equipado, evitan el problema. Está bien si puede permitírselo, pero hay personas que se ven obligadas a ceder ante la familia, los amigos o los jefes y llegan al aeropuerto aterrados, invadidos por la tensión y el miedo. Se trata de las personas que se las apañan para sobrellevar el vuelo con una combinación de cócteles, oraciones y retención de la respiración. Sí, salieron del mal trago, pero lo relatarán como una experiencia infernal.

En primer lugar, cabe notar que el miedo a volar no tiene nada que ver con volar. Sí, lo ha oído bien, el miedo a volar no se basa en el volar o en estrellarse, se basa en el control. Cuando el Niño Inseguro tiene que encontrar algo a lo que aferrar sus proyecciones, el volar es un ámbito en el que tendrá donde elegir. Con los pies en el aire, se verá incapaz de controlar su destino inmediato. «¿Y si algo sale mal?» Pensamientos de rayos, condiciones meteorológicas adversas, fallo en los motores, errores mecánicos o incluso secuestros se le pasan por la cabeza. Estas cosas pueden ocurrir y, de hecho, ocurren. Lo llamamos destino, pero para un «Don Angustias» el destino siempre es un temido dictador malevolente.

Normalmente puede conseguir que estas personas admitan, aunque muy a su pesar, que la preocupación no puede prevenir una tragedia aérea. La preocupación es un intento para hacer algo, lo que sea, que nos haga sentir menos vulnerables. Incluso si tienen que aceptar lo peor que les depara el destino, al menos creen que pueden mejorar sus oportunidades de sobrevivir. «¿Y si ese tipo no sabe abrir la salida de emergencia, le debería apartar? ¿Dónde debería sentarme? ¿Es más seguro sentarme al lado del ala? ¿Dónde están situados los chalecos de seguridad... el oxígeno... está mi cinturón bien apretado?» Puede sentirse tentado a pensar que toda esta planificación puede hacerle sentir más seguro en caso de tragedia, pero la verdad es que las personas que se preocupan tanto distan mucho de sentirse seguras y tranquilas.

No siempre el miedo a volar se centra en un accidente aéreo. Para muchas personas, se trata de un sentimiento de claustrofobia y de falta de aire. Veamos el caso de Tammy:

«Esos lavabos no me gustan nada. ¿Y si necesitase utilizarlo? A veces voy cuando está libre, por si acaso. Al menos si la naturaleza me llama... al menos estoy allí.

Hay un asiento en el avión, enfrente de donde guardan la comida, desde donde se puede ver la puerta cuando se abre. Cuando la persona sale, uno puede ir al baño..., ya sabes, si tienes una emergencia. Me acuerdo una vez que me senté en la parte delantera del avión y le pregunté a un chico que estaba sentado en ese asiento desde donde se ve la puerta del lavabo si le importaba cambiarme el asiento. Dijo "no" tajantemente, pero yo empecé a suplicárselo hasta que él llamó a la azafata que me ordenó que ocupase mi asiento. Si no hubiese estado en dicho estado de ansiedad, hubiese sentido vergüenza. Ahora, cuando pienso en la forma en que él protegió su asiento, creo que también lo hacía porque estaba obsesionado con el lavabo. Creo que somos unos cuantos.»

Usted y yo estaremos de acuerdo en que un accidente relacionado con el lavabo no puede compararse a una catástrofe de accidente aéreo, pero para una persona angustiada que posee pensamientos distorsionados puede ser fácil quedar atrapado en este tipo de obsesiones. Cuando uno es un «Don Angustias» se preocupa excesivamente por todo y se obsesiona con el pánico de tal forma que se siente excluido de todo y todos los que le rodean. Tanto si le preocupa que ocurra un accidente, que le secuestren o que no pueda entrar en el lavabo, el pánico sigue siendo pánico.

Que Tammy se aferrase de tal forma al lavabo a la hora de volar es sólo una coincidencia. Un ejemplo más típico sería el que refleja la experiencia de Howard, un cineasta. Él se quedó extático cuando le contrataron para volar hasta Kuwait para filmar un documental sobre las tropas norteamericanas que volvían de la Operación Tormenta del Desierto. Después de tres años cubriendo las noticias locales, le parecía un gran salto en su carrera. Howard tenía veintiséis años y era una persona sociable, extrovertida y considerada por todos como un tipo responsable, por lo que parecía ideal para una misión tan importante. Ideal, pero con un inconveniente: tenía miedo a volar.

Dos semanas antes del vuelo, Howard me llamó. Por su voz se notaba que estaba inquieto e insistió en que tenía que verme lo antes posible. Quedamos esa misma tarde y él fue directo al grano al decirme que tenía que montarse en aquel avión: «No tengo elección. Mi carrera depende de ello. Nunca volveré a tener una oportunidad como ésta. ¡Tiene que ayudarme!».

Howard ya había volado anteriormente, pero, hasta entonces, sólo se había mostrado inquieto e incómodo. Sin embargo, con el tiempo, se había dado cuenta de que esa incomodidad se había convertido en aprehensión y, más tarde, en ansiedad. Al principio sólo sentía ansiedad mientras estaba en el aire, pero después siguió experimentando esa sensación negativa durante días e incluso semanas después de un vuelo. Había asistido a un seminario para eliminar el miedo a volar, se había sometido a hipnosis e incluso en su último viaje había tomado medicación contra la ansiedad antes del vuelo. Yo representaba su última esperanza: Howard quería entender «por qué» temía volar.

«El último vuelo fue una pesadilla incluso con la medicación», dijo Howard. «Tardé más de una semana en sobreponerme. Ahora que sé que tengo este vuelo, no puedo dormir ni comer. ¿Qué voy a hacer? En el seminario al que asistí me dijeron que volar es la forma de transporte más segura y que estadísticamente existen más probabilidades de morir en un accidente de coche, pero yo sigo sintiéndome igual. Nada funciona.»

Dado que sólo disponíamos de dos semanas antes del vuelo, quería ser bastante directo en mi enfoque. Tenía que convencer a Howard de que su miedo a volar no tenía nada que ver con volar y que todo dependía de su pensamiento retorcido e infantil que solicitaba control. Parecía que estaba interesado y afirmó que era un punto de vista que no había considerado nunca.

«Sí, tiene sentido», dijo. «El avión sólo representa mi miedo, no *es* mi miedo. Siempre creí que se trataba de mi falta de confianza en los aviones... de una especie de superstición sobre alguna catástrofe, pero ahora usted dice que no tengo miedo a volar, sino a perder mi control habitual. Supongo que si no hubiese estado tan acostumbrado a conducir, también tendría miedo a los coches.»

Howard aprendió que su ansiedad anterior a los vuelos era un caso de hipótesis negativas. Asimismo, no tuvo ningún problema a la hora de reconocer su desconfianza general en la vida, su inseguridad. La ecuación se realizó por sí sola: desconfianza general + miedo a perder el control + hipótesis negativas = miedo a volar. Afortunadamente, teníamos tiempo suficiente para trabajar la Autocharla y él pudo darse cuenta rápidamente de la calidad infantil y peculiar de sus reacciones: «A veces me siento tan pequeño... veo a la demás gente del avión como seres muy grandes y a mí mismo como un niño... ese asustadizo niño». Howard volvió a casa con la herramienta de la Autocharla, reconociendo que ese Niño Inseguro estaba en el trasfondo, avivando la llama de su inseguridad y pánico.

Después, nos encontramos cinco veces más antes de que emprendiese su vuelo. El progreso se evidenció en la última sesión:

«Lo que más me ayuda es ser consciente de que el problema está dentro de mí, en mi Niño Inseguro, y no fuera de mí. No tiene nada que ver con el avión. Me siento muy aliviado y menos como una víctima. A veces sigo teniendo pensamientos aprehensivos, pero he mejorado mucho y ya no hago tanto caso. A medida que íbamos discutiendo, he intentado estirar cada uno de esos pensamientos retorcidos que tenía. Tengo que seguir recordando que "no se trata del avión, sino de mi inseguridad", y necesito un poco de práctica, pero al final lo conseguiré. Al menos sé que es la verdad y supongo que sólo necesitaba ver las cosas con mayor claridad.»

Unos cuantos meses después volví a ver a Howard después de realizar su misión. Me dijo que lo había pasado un poco mal en el vuelo a Kuwait, pero que se sentía orgulloso porque no había sentido pánico y era algo que no pensaba que iba a conseguir. Las preocupaciones seguían existiendo, pero era capaz de devolver la pelota con un esfuerzo consistente de Autocharla. Aunque no tuvimos tiempo para trabajar la técnica de la Autocharla dirigida, al final se dio cuenta de que tenía una elección.

Sugerencia para la preparación

Para facilitar los esfuerzos de Autocharla es esencial que se familiarice con cómo y por qué se preocupa. Puesto que la preocupación está a la vuelta de la esquina de la ansiedad y la depresión, necesitará intentar aislar este hábito destructivo. Utilice la siguiente tabla como plantilla para enumerar y reconducir sus preocupaciones.

Pensamiento preocupante	Divagaciones del Niño Inseguro	Autocharla dirigida
No quiero que mi hija haga esa clase de viaje.	Sé que algo malo le va a ocurrir. ¿Y si se pierde? Nadie va a cuidar de ella como yo.	No voy a permitir que mi Niño Inseguro fastidie a mi hija. Si no estoy seguro, llamaré al colegio y discutiré sobre mis preocupaciones.
No quiero ponerme enfermo.	No he estado enfermo durante meses, así que sé que va a ocurrir pronto. Tengo mucho miedo a los vómitos y sé que me va a ocurrir. Es eso de gafarse a uno mismo. Sé que voy a acabar con esa maldita gripe estomacal.	A nadie le gusta estar enfermo y menos a mí, pero no me hace ningún bien el pensar en estas hipótesis negativas. No voy a permitirme creer que si me preocupo podré controlar el futuro.

13

Autopreparación para Erizos

Antes de estar influenciado por nuestra charla sobre Erizos, realice la siguiente autoevaluación para examinar cualquier tendencia que pueda tener. Deberá contestar cada pregunta según sea básicamente verdadera o falsa:

V F Mis sentimientos normalmente pasan del desagrado al odio.

V F Si te acercas mucho a la gente, te harán daño.

V F A menudo me siento amenazado.

V F Normalmente quiero la revancha.

V F A menudo me siento atacado.

V F Me siento más seguro cuando estoy solo.

V F Me cuesta confiar en las personas.

V F Soy demasiado negativo.

V F Sospecho demasiado de todo.

V F Mis relaciones suelen estar cargadas de resentimiento.

V F A menudo tengo celos.

V F Suelo sentirme rechazado.

V F Suelo albergar un odio que me roe por dentro mucho después de haber ocurrido la infracción.

V F Soy demasiado competitivo.

Si ha obtenido una puntuación entre 11 y 14, quiere decir que posee fuertes tendencias de Erizo y necesita reconocer la importancia de no dejar que estos hábitos particulares persistan sin intervención de Autopreparación. Un marcador entre 8 y 10 respuestas verdaderas sugiere unas tendencias de Erizo más moderadas. Sea consciente de las advertencias de este capítulo y no permita que se produzca ninguna tendencia que aumente la hostilidad del Erizo. Un resultado de entre 4 y 7 respuestas verdaderas indica que tiene unas cuantas tendencias significativas de Erizo y puede que sea propenso a defensas típicas de Erizo cuando se enfrente al estrés. Un marcador de 3 o menos respuestas verdaderas no indica ninguna tendencia de Erizo remarcable.

No me piséis

¿Alguna vez le ha gruñido a la persona que tenía delante de la fila para la caja rápida del supermercado porque tenía demasiados artículos en el carrito? ¿Y en la carretera? ¿Está siempre pitando a otros conductores que entorpecen el tráfico cuando usted tiene prisa? Si alguien hiere sus sentimientos, ¿toma represalias? ¿Y si alguien le critica? ¿Se convierte esa persona en su enemigo? ¿Acaso es su lema "no me enfado, simplemente busco justicia"? Si alguna de estas frases describe su conducta o la conducta que le gustaría, entonces quizás tenga unas pautas de pensamiento distorsionado que denomino tendencias de Erizo.

¿Alguna vez ha visto a un erizo? Es difícil encontrar alguna criatura más adorable que un erizo tranquilo que tiene en la palma de la mano y que le da una extraordinaria sensación de suavidad. Sin embargo, cuando se pone a la defensiva y se hace una bola (algo que suele ocurrirles muy a menudo) fuerzan innumerables púas de puerco espín para proyectarlas en todas las direcciones. Cuando adoptan esta forma, los erizos dejan de ser atractivos ante los ojos del mundo.

Un erizo se protege evitando el peligro. Una persona sensible al control podría utilizar la misma técnica de defensa al sentirse insegura o fuera de control. Una persona normalmente amigable puede recular cual erizo y enseñar las espinas de la hostilidad. La hostilidad tiene un efecto predecible en la gente: les repele y desanima. Mantener a las personas alejadas es una forma «erizo» de control, ya sea creando distancia física o emocional. Asimismo, la hostilidad se representa de maneras distintas, pudiendo ser pasiva, agresiva, abusiva, detestable, resistente o sencillamente arisca. El resultado suele ser el mismo: «¡Nadie se va a aprovechar de mí!».

La defensa de un erizo es especialmente importante debido al profundo efecto que puede causar en su personalidad. Si bien la mayoría de las personas estarían de acuerdo en que las tendencias de los «Don Angustias» o las personas que exageran las circunstancias son negativas y perjudiciales, las tendencias de Erizo son más insidiosas. Suelen ser de larga duración, pueden pasar desapercibidas y suelen tolerarse mejor, sobre todo cuando la hostilidad es pasiva. Puede que tengamos una imagen tradicional de la hostilidad como una persona con los dientes apretados, la voz forzada y tensa y una actitud de confrontación, pero existe otra manifestación, igualmente desagradable, que es mucho menos obvia, la hostilidad pasiva. Es la forma de defensa favorita de los niños y de los adultos que actúan como niños. Pregúntele a cualquier Erizo hostil una pregunta y verá que hacen ver que no pueden oír ni una palabra de lo que está diciendo, dejándole con un sentimiento de frustración, enfado e impotencia. Tanto si su hostilidad es obvia como pasiva, sigue siendo perjudicial para usted.

Erizos a jornada parcial

Muchos erizos principiantes lo son sólo a jornada parcial. Dado que sus confrontaciones son escasas y distanciadas, los Erizos a tiempo parcial tienen la capacidad para esconder sus púas la mayor parte del tiempo. Este hecho puede representar un problema, sobre todo cuando enmascara el incremento de la adopción de un estilo de vida Erizo.

Si Sam y yo no hubiésemos trabajado la naturaleza de su Niño Inseguro la semana anterior, quizás nunca se hubiese percatado de su tendencia hacia la hostilidad de Erizo o, de haberlo hecho, se hubiese escondido debajo de la alfombra de la negación.

Sam, un contable de treinta años, había asistido a terapia porque se sentía moderadamente deprimido y sin un objetivo en la vida. Sam y su familia habían hecho un viaje de fin de semana a un parque temático y, cuando iban a recoger el coche que habían solicitado en alquiler, en la empresa le comunicaron que no estaba disponible. Al ver la frustración en la cara de su mujer y la impaciencia de los niños, algo desató una conducta que no era típica de Sam:

«La chica me decía que sentía la confusión y que no podía hacer nada al respecto. Yo estaba molesto, pero no estaba enfadado. Entonces oí cómo se quejaba mi mujer. La pobre estaba cansada y frustrada. Por alguna extraña razón, al oír su queja me sentí amenazado. No sé cómo explicarlo. Sentí que tenía que ser más hombre y que mi familia me necesitaba. Así empezó todo. De repente empecé a sentirme hostil: ¿Quién se cree que es esta mujer? ¡Nadie me trata así!

Al principio, mi enfado estaba controlado: "Esto es inaceptable", le dije, "no quiero ninguna excusa más. Quiero el coche que reservé". La chica sonrió falsamente en tensión. Sentí que me estaba desafiando y entonces entré en la zona peligrosa. Con un tono de voz mucho más alto y fuerte, prácticamente gritando, le dije: "quiero hablar con el director, llame al director. Que usted no haga bien su trabajo no quiere decir que yo lo tolere". A medida que mi enfado iba creciendo, mi pensamiento se hacía más borroso y decía cosas ridículas como: "¿Piensa que soy un tonto? Usted es la tonta.... voy a poner una demanda... ya verá cuando llame a mi abogado".

Cuando vi la mirada de vergüenza de mi esposa y el encogimiento de mis hijos desconcertados, mi cruzada acabó tan rápido como había empezado. Era como si me hubiesen dado un golpe en la cabeza, así que de repente me callé. Ya no sé ni qué decía la chica entonces. Yo sólo quería irme. Fue algo terrible, tan vergonzoso.

Sólo intentaba ser fuerte y no dejar que nadie se aprovechase de mí. Me retiré sintiéndome fatal. ¿Qué me pasa? Siempre había creído que era un buen tipo, pero también puedo convertirme en un monstruo. Esa chica no se merecía lo que le dije, pero cuando había perdido el control, ya no podía hacer nada. Me sentía totalmente humillado y avergonzado. ¡Quería meterme debajo de una piedra!»

La reacción de Sam fue un Erizo con sobresaliente. La actitud de indiferencia de la vendedora fue la gota que colmó el vaso y el papel de hombre, de marido y padre de la familia se vio amenazado. De esta forma pensó que no tenía elección y que nadie podía intentar engañar a su familia. Lo que más le afectó a Sam fue la posterior pérdida de control que aconteció.

La verdad es que Sam sí tenía elección. Podía haber protegido a su familia sin declarar esta hostilidad, pero, por desgracia, los Erizos tienen poca confianza y creen que la gente se aprovechará de ellos si no se ponen a la defensiva. De esta forma, lo que empezó como un intento de control y protección acabó como la peor pesadilla de Sam: sentirse avergonzado e indefenso ante todo el mundo.

En el pasado, experiencias similares habían hecho que Sam se sintiese abatido y deprimido durante un tiempo, pero no aprendía nada. Con cada confrontación, Sam se convencía más y más de su falta de adaptación al mundo. Le parecía que la vida era como una jauría de perros malvados que le iban mordiendo los talones. Estaba preocupado y cansado por la progresión de su negatividad, pero también estaba preparado para trabajar la Autocharla.

A continuación presentamos una versión sintetizada del trabajo de Autocharla de Sam:

Autocharla. Revisión del paso 1. Aprender a escuchar

Practique el escuchar sus propios pensamientos.
Pregúntese: «¿Lo que estoy oyendo me parece maduro, racional o razonable?»
o, por el contrario, «¿me parece primitivo, excesivamente emocional, infantil e inseguro? ¿Estoy hablando yo o mi Niño Inseguro?»

Tenga en mente el paso n° 1. Sam y yo lo repasamos juntos. La primera pista de pensamiento inseguro e infantil la obtuvimos cuando Sam se sintió amenazado por no ser lo suficientemente hombre. Podía reconocer ese aspecto primitivo e inseguro de su reacción, sobre todo cuando llegó a pensar: «¿Quién se cree que es esta mujer?». Al revisar su conducta, Sam reconoció enseguida la presencia de su Niño Inseguro pataleando.

Autocharla. Revisión del paso 2. Aprender a dejar de escuchar

Cuando note que su Niño Inseguro está hablando,
decida no escucharle. ¡Sepa dejar de escuchar!

Además de haber escuchado a su Niño Inseguro, Sam había permitido convertirse en su Niño Inseguro. Ahora podía entender que lo que tenía que haber hecho en aquel momento de conflicto era alejarse de esa avalancha de confusión provocada por ese pánico infantil y solicitar una respuesta más adulta. Por ejemplo, podía haberse dicho: «¡No es una situación de vida o muerte!» y, tras respirar hondo: «*No voy a permitir* que mi Niño Inseguro me confunda».

Autocharla. Revisión del paso 3. Dirigir su pensamiento

Una vez le frene los pies a su Niño Inseguro,
tiene que hacer algo más. Se trata de dirigir su pensamiento
hacia una visión más saludable.

Sam también averiguó que, al personalizar su Niño Inseguro, podía anticipar con mayor facilidad su reacciones de Erizo. Denominó a su niño Travis por una de sus películas favoritas, *Taxi Driver*, protagonizada por Robert DeNiro. Su personaje, Travis Bickle, era un vigilante torturado, paranoico y autonombrado, la combinación perfecta para el Niño Inseguro de Sam. La frase más famosa de Travis en la película era: «¿Está hablando conmigo?». Siempre que Sam percibía que estaba hablando como Travis, inmediatamente se acordaba del personaje demente y enfermizo de la película y ya no tenía ningún problema para distinguir entre la voz de Travis y la de su propia voz madura y sana.

Sam empezó a entender que su hostilidad no estaba basada en amenazas reales, sino en amenazas percibidas que le eran servidas en bandeja por su Niño Inseguro. Comprender esta simple verdad le permitió empezar a dirigir su pensamiento hacia vías más razonables para enfrentarse a un conflicto. Una vez dejó de escuchar a su Niño Inseguro, comenzó a ver las distintas opciones. En referencia al ejemplo de la vendedora, Sam comprendió lo siguiente:

> «Me gustaría que el tiempo diese marcha atrás y volver a aquella situación del alquiler del coche. Si ocurriese ahora, insistiría en no tomarme las cosas de forma personal. Cuando pienso en ello, todo me parece tan ridículo. Travis (el Niño Inseguro de Sam) me convenció de que mi papel como hombre corría peligro. Dejé que me manipulase, pero de ahora en adelante, le diré: "¡No, Travis!" La única razón por la que me volví loco era porque dejé convencerme de que me atacaban.
>
> Ahora por fin veo claro todo. El otro día tuve una oportunidad en el centro comercial. Estaba a punto de aparcar el coche en una plaza cuando vino un tipo que venía en dirección contraria y me quitó el sitio. Travis estaba a punto de saltar del coche, pero le cogí, respiré hondo y me dije a mí mismo que no iba a permitir actuar a la ligera, así que seguí buscando otra plaza. Tardé unos minutos, pero luego me sentí mucho mejor. Esta situación no representa nada, pero logró convencerme de que tengo una elección.»

Erizos a jornada completa

A diferencia de Sam, que fue capaz de interrumpir la progresión de la evolución de su Erizo mediante la Autocharla, algunas personas permiten que su hostilidad y negatividad vayan demasiado lejos. Si bien una persona Erizo a jornada parcial como Sam posee la capacidad para ser amistoso en otras situaciones, los Erizos a jornada completa, incluso cuando sienten que tienen el control, suelen ser siempre antipáticos.

Sally es una profesora de primaria que recibió muchas reprimendas del director debido a su continua negligencia, como llegar tarde al colegio, dejar la clase sin vigilancia, etc. Sally acudió a terapia enrabiada: «Trabajo con imbéciles», me dijo. «En la última reunión del profesorado, les dije lo que pensaba. Hay muchos profesores que no son profesionales, ¿por qué siempre tienen que meterse conmigo? ¡Dije nombres! Me da igual a quién pueda meter en líos. Me da igual a quién le caiga bien o no. Cierro la puerta cuando entro, doy mi clase y me marcho a las 3:30.» Sally estaba controlando la situación guiada por su rabia y la hostilidad logró su propósito: todo el mundo la evitaba.

Los Erizos viven en un mundo dividido en dos tipos de personas: los que amenazan y los que son amenazas potenciales. Tienen una mentalidad de búnker en la que todo el mundo puede ser un enemigo, ya se trate de un vecino, el jefe o incluso la pareja. Desde sus búnkers oscuros, los Erizos contemplan la vida a través de unas pequeñas rendijas. Con esta perspectiva limitada, atrapados en su estrecha visión, el pensamiento en blanco y negro y el leer la mente suelen ser comunes.

Sally, nuestro ejemplo de pensamiento en blanco y negro y de visión estrecha, confiaba en su hostilidad para aislarse de sus acusadores. Si usted es generoso, muy generoso, podría decir que se trataba de autodefensa. Sally sintió que necesitaba defenderse contra el asalto de sus compañeros, pero su problema real no provenía del exterior, sino de su interior. Era incapaz de reconocer su conducta irresponsable e infantil. Por eso, Sally necesitaba salir de su búnker y ver el panorama completo de realidad. Además de estirar su pensamiento retorcido, necesitaba enderezar sus percepciones y arrancarse esas espinas puntiagudas.

Pregúntese, ¿se ha estrechado su visión de la vida? ¿Está empezando a ver más aspectos negativos que positivos? ¿Más amenazas que gestos amistosos, más enemigos que amigos? ¿Se están convirtiendo las confrontaciones en una rutina para usted? ¿Empieza a ver la vida como un búnker, en el que se siente protegido y a salvo de los ataques? ¿Se está convirtiendo la hostilidad en parte de su dieta diaria? Si las respuestas son afirmativas, es hora de ponerse serio con este hábito evitable.

No se sienta seducido por la forma rápida de controlar una situación que tiene la hostilidad. Con el tiempo, todos estos vínculos negativos de tensión, irritabilidad, molestias de sueño, conflictos maritales y sociales acaban provocando depresión por la intensa reacción defensiva. Tanto si le gusta como si no, la hostilidad le convierte en una especie de matón. Patti puede contarle todo sobre su progresión, puesto que se casó con un Erizo a jornada parcial que en dos años se convirtió en un verdadero tirano.

Patti, ¿acepta como esposo a este Erizo?

Jim y Patti, que se habían casado hacía sólo dos años, acudieron a mi consulta porque ella ya no podía aguantar más el resentimiento de Jim. En la primera sesión, ella fue directa al grano:

> «Jim se ha convertido en un perfecto extraño para mí. Tuvimos un romance apasionado y nos casamos impulsivamente, pero, entonces, parecía que él se preocupaba por mí. Siempre intentaba hacer lo imposible por complacerme: con flores, viajes románticos a la playa los fines de semana, poemas y muchos otros detalles. Ahora ya casi no le reconozco. Sé que no es el Jim con quien me casé hace dos años.
>
> La única forma de la que puedo describirle es como alguien poco agradable. Sí, ocurrieron algunos incidentes feos antes de que nos casásemos, como cuando una vez casi se peleó con un camarero, otra vez con un vecino, pero nunca sospeché nada. De verdad, si hubiese sabido que se iba a convertir en un tirano, no me hubiese casado tan rápido. Me imagino que un día me voy a levantar y todo esto habrá sido sólo una pesadilla.»

El error más grande de Patti fue asumir que su imagen romántica y apasionada de Jim era toda su personalidad. Pensó que se casaba con un tipo sensible, maravilloso y cariñoso, pero de repente se encontró casada con un Erizo. Dos años antes, cuando se conocieron, las espinas estaban ocultas en la pasión. La personalidad Erizo de Jim se había ido formando a lo largo de los años, mucho antes de conocer a Patti. Por desgracia para ella, durante su noviazgo, ella sólo vio lo positivo de él con la seguridad que aporta el enamoramiento. Sin duda, cuando no se sienten amenazados, los Erizos pueden ser bastante encantadores.

> «Parece ir contra todo lo que hago. Ayer pensé que era buena idea ir a lavar el coche. Cuando se lo dije, ¿cuál fue su reacción? Se enfadó conmigo por tirar el dinero y además me dijo que los rodillos del tren de lavado eran malos para la pintura y que tenía que haber llegado antes a casa porque tenía hambre. Así es

Jim: egoísta, maleducado e insensible. (Patti empezó a agitar la cabeza con una mirada de frustración.)

Haga lo que haga, siempre le parece mal y no sólo le ocurre conmigo. Parece que tiene problemas con todo el mundo. De verdad creo que es una persona odiosa. Debería oírle hablar de mi pobre madre. Me da hasta vergüenza repetirlo. Como ya le he dicho, le pasa con todo el mundo, con su hermana, su jefe... Ruth, nuestra vecina, llamó la semana pasada y me preguntó si no nos importaría recoger su correspondencia porque se iban de vacaciones. Pues, bueno, parecía que le hubiese pedido a Jim su brazo derecho. Empezó a relatar con rabia: "¿Quién se cree que es? ¿Se piensa que no tengo nada más que hacer que preocuparme por su correspondencia? ¿No nos puede dejar en paz la gente?". ¿Le parece que esto es normal?

Mi madre me dice que le ignore, que deje que se desahogue, pero ella no sabe todo lo que tengo que aguantar. Esta noche, por ejemplo, cuando conducíamos para venir, alguien se ha interpuesto en nuestro camino y Jim ha empezado a seguirle, encendiendo las luces y haciendo carreras. Intento tranquilizarle, pero me asusta. A este ritmo va a tener un ataque cardiaco antes de los treinta. Yo no puedo seguir viviendo así.»

La verdad sobre los problemas de Jim

A pesar de la frustración y de las dudas iniciales de Patti, las cosas empezaron a progresar bastante bien cuando Jim se puso a trabajar en su programa de preparación personal. Al trabajar con la parte «llegar hasta el final», Jim llegó a la conclusión que había esperado que la gente le hiciese daño y recordó: «Era un niño enfermizo, frágil, delgaducho y tímido. No son cualidades que le hacen a uno popular en el vecindario. Los otros niños se reían de mí y algunos me pegaban. Lo peor que me pasó fue cuando tres niños me cogieron y me levantaron patas arriba. No pude hacer nada para detenerles».

Con esfuerzo, Jim se dio cuenta de que utilizó la hostilidad como un escudo para protegerse del daño que esperaba que le hiciesen. «Mi niñez me enseñó mucho», dijo. «Ahora se podría decir que intento no dejarme pegar por la vida.» Continuó así: «Si no dejo que nadie se aproxime a mí, entonces nadie puede hacerme daño, ¿no? Sí, eso me parece correcto. Además, realmente no soy consciente de lo que hago, sencillamente lo hago. Sin planearlo. No voy diciendo: "Para que no me peguen voy a ser hostil". Simplemente ocurre».

El hecho de que Jim se rigiese por sus viejos sentimientos de inferiori-dad no se le pasó por alto. «Supongo que soy como un perro atado.» La ironía, que yo le puse de manifiesto, es que *no existía* ninguna correa. De-bido a sus viejas pautas de conducta, Jim actuaba como sí estuviese atado. Como si le diesen tirones de inseguridad, rechazo y miedo por un niño in-terior que abusaba de él (Jim sentía que su Niño Inseguro le intimidaba y le llevaba a creer sus interpretaciones hostiles) y que dictaba y destroza-ba su vida (y también la de Patti). Al reconocer que no existía tal correa y que su Niño Inseguro intimidador era el que estiraba de la fuerza de la inseguridad, logró comprender que, si se alejaba de su Niño, podía ser di-ferente. Tenía elección.

Aprovechando el entendimiento de Jim, le dije: «Mira a Patti. Siempre asume que ella hace algo mal que provoca que usted se sienta mal. Los dos hemos oído sus explicaciones y a mí me parecen razonables y creíbles. De he-cho, me parece penoso que no se dé cuenta de lo mucho que ella se preo-cupa por usted. Creo que ella estaría dispuesta a quererle, pero usted con-sigue que todo sea triste y feo con su negatividad. Hace que todo sea imposible porque deja que esa correa invisible le lleve por la dirección equi-vocada, diciéndole que usted es diferente y que no es tan bueno como los demás. Además de estar actuando como si estuviese atado, también se com-porta como si le hubiesen pegado. Si le diesen la oportunidad, seguiría cre-yendo que la gente le va a hacer daño».

Jim escuchó con mucha atención cada una de las palabras que pronun-cié. En comparación con su arrogancia y su desvinculación habitual, pare-cía una persona mucho más accesible, con las púas relajadas. Estaba pre-parado para mi charla de ánimo.

Seguí con mi discurso, cual entrenador antes de un partido decisivo: «Lo importante es que deje de ser un niño vulnerable. La verdad, la ver-dadera verdad, es que usted, su vida, todo ha cambiado, ¡excepto usted! Se niega a aceptarlo, ¿por qué? Porque sigue escuchando a su niño intimida-dor. Por si las cosas aún podían ir peor, escucha las tonterías de su Niño y aumenta sus pensamientos de inseguridad. A esto se le llama exagerar y en los deportes es ilegal y aquí también. Si su Niño Inseguro va a hablar lo menos que puede hacer es no ayudarle. Es normal que su Niño distorsio-ne la realidad, porque, al fin y al cabo, es un niño, pero usted ya no.

Mi súplica final: «Hacer las siguientes preguntas: ¿Y si tuviese que re-chazar la visión confundida de su Niño Inseguro? ¿Puede aceptar la noción de que las cosas han cambiado y que ya no es aquel niño frágil y vulnera-ble? ¿Puede aceptar que las cosas son distintas? ¿Qué tiene que perder?».

Jim se quedó pensativo unos minutos y expresó: «Tiene razón. El problema es que no puedo creérmelo... hay alguna razón por la que no puedo confiar en la verdad. Por ejemplo, Patti podría estar diciendo todas esas cosas bonitas porque suenan bien. Quizás no quiere admitir que le hubiese gustado casarse con otra persona, que cometió un fallo. Puede que se esté decepcionando a sí misma».

«¿Y si ella está diciendo la verdad? ¿Y si está equivocado y le quiere de verdad? Está claro que no le gusta su hostilidad y que preferiría que no reaccionase así, pero sobre todo se siente traicionada por el amante romántico que conoció en el pasado. Apártese de ese Niño Inseguro abusador y hágase esta pregunta: ¿Y si realmente es suficiente para ella?»

Al principio me pareció que Jim se enfadaba porque se le enrojeció la cara y se le hincharon los ojos. Hizo un amago de levantarse, pero enseguida se volvió a sentar y empezó a llorar. Por una vez, Jim se estaba desahogando y permitiéndose lo que se había estado negando todos estos años: vulnerabilidad. Cuando pudo recuperar el habla, dijo: «Tengo miedo».

Una vez comprendió que su hostilidad se debía al desgaste ocasionado por su Niño Inseguro, por la usada correa que tiraba de él hacia direcciones equivocadas, la relación entre Jim y Patti funcionó mejor. Él se dio cuenta de que su proyección de inferioridad no tenía sentido en el contexto de su vida presente y que no era de sentido común. Puesto que sus sentimientos de inferioridad los inició el pensamiento enrevesado de su Niño Inseguro, era una forma de pensar infantil. Cuando se percató de lo ridícula que había sido su conducta, empezó a invitar a la vida, en vez de apartarse de ella. Así, a diferencia de apartar todo lo bueno y lo sano en su vida, empezó a acogerlo con los brazos abiertos.

Trampas de Erizo

En el capítulo 6 ha aprendido a evitar distintas trampas de inseguridad (afirmaciones con «debería», hipótesis negativas, etc.). Los Erizos manifiestan cierta vulnerabilidad frente a diversas trampas: celos, intolerancia, racismo, prejuicios, competitividad y amenazas, miedos e intimidación. Estas trampas, o ganchos, pueden suponer un obstáculo para un Erizo porque todas tienen en común la tendencia a observar a la gente como enemigos.

Celos

Los celos son una maldición en cualquier relación y los Erizos, debido a su anticipación al rechazo, son especialmente susceptibles. Suelen esperar lo peor y viven en un estado de desequilibrio constante, un estado que enseguida pasa a ser intolerable. Por ello, en su intento para restablecer el control, los Erizos se vuelven extremadamente celosos, pero recordemos que, si bien los celos suponen control, se trata de un control opresivo.

Intolerancia, racismo y prejuicios

La intolerancia, el racismo y todas las formas de prejuicios son muy problemáticas para los Erizos. Estos problemas son distintivos porque afectan a personas o grupos anónimos y, así, poseen el honor dudoso de proyectar la inseguridad de los Erizos hacia fuera. Vivir con odio y hostilidad proyectados es un intento para distanciarse de todos aquellos que cree que le podrán hacer daño. En realidad, se trata de un intento de distanciarse a uno mismo de la inseguridad interna que uno piensa que le perjudicará.

Competitividad

Incluso los Erizos parecen prosperar en las competiciones, las odian. Cuando se ven desafiados, ya sea de manera real o imaginaria, se sienten atrapados. ¿Por qué? Pues porque todos los retos se contemplan como una amenaza a su control. Tanto si se trata de competir con un amigo en un partido de tenis o con un compañero de trabajo para conseguir un elogio del jefe, los Erizos pierden pronto la perspectiva y se aferran a su visión estrecha e intensa de la realidad.

Amenazas, miedos e intimidación

Al igual que la competición puede encender una respuesta hostil, las amenazas, los miedos y las intimidaciones son igual de tóxicas para un Erizo. Estas experiencias intencionalmente agresivas requieren reacciones rápidas y compensadas.

¿Soy un Erizo o sólo estoy enfadado?

¿Cómo podemos saber cuándo son apropiados nuestros sentimientos hostiles? Bueno, está claro que en ocasiones el enfado es una reacción adecuada. Cuando alguien nos hace daño, nos insulta, nos humilla o nos avergüenza, es natural sentir enfado. Sin embargo, cuando el enfado está acompañado por la inseguridad, las heridas, los insultos, la humillación o la vergüenza toman un significado radicalmente distinto. Entonces el enfado se enquista y, mucho después de la ofensa, seguimos removiendo nuestra hostilidad. Las emociones enquistadas son una marca fiable de que la inseguridad del Erizo tiene algo que ver.

Recuerdo una historia sobre dos monjes budistas Zen que caminaban juntos al lado de un riachuelo. Por el camino, se encontraron a una joven angustiada y el monje más mayor indagó para averiguar qué le ocurría. La joven necesitaba cruzar el riachuelo, pero puesto que la corriente era bastante fuerte, confesó que le daba miedo incluso intentarlo. El monje más mayor tomó a la joven en sus brazos y la llevó hasta el otro extremo del río, dejándola en la orilla opuesta. Después, esa misma tarde, los dos monjes, que habían caminado en silencio desde el incidente, se pararon a descansar. El monje más joven no podía contener su rabia ni un minuto más y explotó: «No puedo creer que tomase a esa joven en sus brazos, permitiéndose ese contacto físico». El monje más mayor le replicó: «Sólo llevé a esa joven durante un momento; usted la ha estado llevando toda la tarde en su mente». El monje joven se enfadó, pero no fue con el otro monje, sino con su propio deseo reprimido de tocar a la mujer. Las acciones del monje mayor habían disparado muy cerca y él no lo podía soportar.

Si alguna vez se encuentra en una situación en la que el enfado no se desvanece con rapidez, sino que parece que penetra dentro de la piel, estése al tanto. Al igual que le ocurrió al monje joven, suele haber algo más detrás. En vez de sospechar de los defectos de los demás, sospeche de su propia personalidad insegura, que le provoca ese sentimiento de descontrol.

Reflexión respecto a la Autopreparación

El enfado que se enquista tiene su origen en la inseguridad.

Sugerencia para la preparación

Grabe en una cinta cualquier reacción que ha tenido ante una situación específica que le causó trastornos, dificultades, ansiedad o depresión en su vida. Al hacerlo, podrá obtener pistas sobre su Niño Inseguro. Cuando intente expresar o redactar sus pensamientos, instintivamente incluirá un tono, sentimientos y matices típicos de su Niño. Esto es especialmente cierto para los informes de los Erizos. El escuchar la hostilidad y la negatividad de su Niño puede abrirle los ojos.

Si bien no es necesario realizar grabaciones a diario, le recomiendo que lo haga cuando ocurra algún encontronazo con su Niño Inseguro. Una vez empiece a ser consciente de cómo se expresa el Niño, no necesitará depender de las grabaciones.

14

Autopreparación para Tortugas

Eche un vistazo a la siguiente autoevaluación para determinar si sus tendencias de Tortuga naturales (por ejemplo, respiros ocasionales del estrés) están avanzando hacia una condición poco natural de evasión y control. Responda cada pregunta según le parezca que es básicamente afirmativa o negativa:

V   F   Prefiero evitar la confrontación.

V   F   Prefiero estar solo.

V   F   No tengo muchos intereses ni *hobbies*.

V   F   Veo demasiada televisión.

V   F   Prefiero trabajar solo.

V   F   Las relaciones suponen básicamente problemas.

V   F   Odio los teléfonos.

V   F   No tengo muchos amigos.

V   F   Odio los compromisos sociales.

V   F   Lo paso mal en las fiestas.

V   F   Suelo llegar tarde.

V   F   Me siento más cómodo con cosas que con personas.

V   F   Nunca se puede estar lo suficientemente seguro.

V   F   No me tomo bien las críticas.

Si ha obtenido un marcador de entre 11 y 14 respuestas afirmativas, en ese caso, efectivamente tiene tendencias definidas de Tortuga y necesita reconocer la importancia de no permitir que estos hábitos particulares persistan sin la intervención de la Autopreparación. Un resultado de 8-10 respuestas verdaderas sugiere una tendencia más moderada hacia una forma de vida de Tortuga, pero, aun así, debería estar alerta a las advertencias y consejos de este capítulo para evitar que el escapismo de Tortuga aumente. Un marcador de 4-7 respuestas verdaderas indica pocas tendencias definidas de Tortuga, pese a que puede que de forma ocasional recurra a su defensa de Tortuga para enfrentarse al estrés. Un marcador de 3 o menos respuestas no muestra tendencias de Tortuga importantes.

¿Qué? ¿Yo una Tortuga?

Cuando piensa en una tortuga, ¿qué le viene a la mente? El caparazón, ¿no es así? Cuando la vida se pone difícil, las Tortugas se meten en su caparazón y esperan mejores tiempos. Los humanos no tenemos caparazón, pero a veces actuamos como si lo tuviésemos. La ansiedad y la depresión pueden fomentar una conducta de Tortuga, ya que para una persona con ansiedad, meterse en el caparazón de la evasión puede proporcionarle unas vacaciones efectivas del estrés crónico, y para las personas asediadas que sufren depresión, entrar en el caparazón puede ser como un santuario que hace que lo intolerable se vuelva tolerable.

Todas las experiencias de las Tortugas tienen algo en común: le permiten a uno retirarse de algún aspecto de la vida que parece descontrolarse. Una vez estamos dentro del caparazón, nos sentimos protegidos y seguros (en control). Si bien es discutible, a mi entender una de las Tortugas más famosas (y raras) de la historia fue el brillante inventor, astuto empresario y multimillonario Howard Hughes. Para garantizar su completo aislamiento, sobre todo en sus últimos años de vida, Hughes se metió en el caparazón de Tortuga de la paranoia y la adicción a las drogas. Desde las lujosas cortinas negras de las habitaciones de hoteles, el demacrado y trastornado Hughes iba penetrando cada vez más y más en un mundo de Tortuga de control fanático. Por ejemplo, se sabe que a uno de sus asistentes se le encargó la misión de entrar una mañana de Semana Santa en el santuario de Hughes y matar una mosca que se había infiltrado. Con todo el dinero del mundo, Howard Hughes comprobó que no podía comprar lo que más quería: el control absoluto.

Nadie, ni siquiera un multimillonario, puede crear un caparazón perfecto. Siempre habrá alguna mosca que merodee por alrededor. Me gustaría clarificar que no todas las conductas de Tortuga son tan obvias ni excéntricas como la de Howard Hughes. De hecho la mayor parte de la conducta de Tortuga no difiere de la conducta normal y cotidiana. Sé que parece algo confuso, pero no es así. Lo único que tiene que saber es que la conducta de Tortuga no se define por *lo* que hace, sino *por qué* lo hace. Por ejemplo, imagínese que está viendo la televisión, escuchando música o leyendo un libro:

- Si la razón *por la que* está manifestando dicha conducta es relajarse y calmarse, entonces no se está comportando como una Tortuga.

- Si la razón *por la que* está manifestando dicha conducta es controlar algún aspecto de la vida mediante un lugar aislado y refugiado, entonces está actuando como una Tortuga.

La conducta de Tortuga es cualquier comportamiento que le permite retirarse de la vida, en vez de enfrentarse a ella. ¿Quién no necesita retroceder y aislarse del estrés de vez en cuando? Según esta definición, un poco de conducta Tortuga puede ser perfectamente normal e incluso necesario. Todos actuamos como Tortugas a veces. Por eso existen las vacaciones, ¿no? Al igual que muchas cosas en la vida, la conducta de Tortuga con moderación no le hará daño y tampoco es cierto que si manifiesta un comportamiento de Tortuga de vez en cuando entonces se convertirá en una Tortuga. Como ocurría en todas las trampas de inseguridad que hemos mencionado anteriormente (hipótesis negativas, pensamiento exagerado, pensamiento en blanco y negro, defensa de Erizo, etc.), la conducta de Tortuga sólo es problemática cuando se utiliza como estrategia continua (en vez de una salida ocasional) para controlar la vida.

Cuando se utiliza ocasionalmente para recargar la batería psíquica, la conducta de Tortuga puede ser incluso muy beneficiosa. Sin embargo, cuando se combina una tendencia inocente de «retraerse» con el pensamiento inseguro, puede progresar hasta llegar al hábito de evitar las exigencias de la vida. Tenga claro este punto: no son las exigencias de la vida las que causan una reacción excesiva de Tortuga, sino que es la interpretación de su Niño Inseguro respecto a estas exigencias, junto con pensamientos tóxicos de sentirse abrumado, la que provoca estas reacciones de evasión.

Puesto que las exigencias de la vida pueden, como mucho, posponerse y no pueden eliminarse, la conducta Tortuga es un hábito que inevitablemente genera una ansiedad y depresión considerable. Cuando la ansiedad y la depresión se mezclan, las Tortugas equivocadamente llegan a creer que la única salida no es hacia fuera, sino hacia adentro, meterse más en el caparazón. Cuando esto ocurre, se llega al punto en el que el pensamiento inseguro de la Tortuga concluye que la vida es demasiado difícil e imposible. «Sólo necesito que me dejen solo.»

Reflexión respecto a la Autopreparación

La vida puede eludirse, pero nunca se puede escapar de ella.

Cuando nos sentimos abrumados, el santuario que ofrece un caparazón resulta cada vez más tentador. ¿Por qué deberíamos evitarlo? Se trata de un lugar tranquilo, apacible, seguro, seductor y nos ofrece un control relativo, pero ¡no nos dejemos engañar! (El principio de curación 4 de Autopreparación: el control es un espejismo, no es una respuesta.) Para los seres humanos, el caparazón de Tortuga es un espejismo de seguridad creado por la evasión. A pesar del grosor del caparazón o de lo seguro que uno se sienta dentro, en algún momento, hay que sacar la cabeza y enfrentarse a la vida. Por supuesto, esto no supondrá un problema si las experiencias del caparazón se utilizan sólo de vez en cuando para sentir un alivio del estrés que se siente, por ejemplo, en el trabajo con la pareja. En estos últimos casos, una vez haya lamido la herida, saldrá fuera del caparazón enseguida. El problema está cuando el alivio ocasional se transforma en una escapada frecuente que hace que sacar la cabeza le provoque una intensa ansiedad o depresión, e incluso ambas.

La conducta de Tortuga, además de contribuir a la ansiedad y depresión en su vida, tiene una tendencia a ser adictiva. Por ejemplo, puede que se haya dado cuenta de que un día permanece dentro del caparazón un poco más de lo necesario, evitando cierta responsabilidad, o sencillamente «olvidándose» de un compromiso y, cuanto más cómodo se sienta dentro del caparazón, más fácil y atractivo será permanecer dentro.

Puede echarle la culpa al pensamiento inseguro. Los pensamientos inseguros son la razón para tener un caparazón, para ser adicto a permanecer dentro del caparazón y, aún más importante, para sufrir. La dilación es una de las formas más comunes de pensamiento inseguro de Tortuga que puede hacerle sentir bajo presión y asediado. «Ya te he oído. ¡Vale ya! Te he dicho que lo haré después.» Una vez se empieza a dejar de lado una obligación, empieza a crecer la presión. Cuando la Tortuga dice: «Sí, sí, ya lo haré mañana», quien está hablando es el Niño Inseguro de la Tortuga que espera que, si deja pasar el tiempo, la obligación desaparecerá.

El Niño Inseguro prefiere dejar de lado las cosas porque se siente más seguro de este modo. Puesto que el Niño prefiere sentirse sobrecargado y vulnerable, tiene sentido evitar cualquier responsabilidad y agotamiento adicional. Sin embargo, el posponer las tareas, en vez de disminuir la presión, la aumenta (puesto que la vida sólo puede eludirse, pero no se puede escapar a ella). El resultado es que al final se acaba agotado tanto si se hacen las cosas como si no. Al igual que las plantas en un invernadero, la depresión y la ansiedad crecen en esa atmósfera de ambivalencia.

Si ya está deprimido, cualquier conducta de Tortuga no hará más que magnificar sus sentimientos. La depresión puede hacerle ver que no hay otra salida más que la retirada porque cree que no puede enfrentarse a la vida de todos modos y el caparazón resulta atractivo. Tenga mucho cuidado porque, como todos los negocios que parecen demasiado buenos para ser ciertos, puede que haya trampa. Vivir como una Tortuga puede parecer vivir en un refugio ideal, pero siempre acaba convirtiéndose en una prisión.

Autopreparación para Tortugas

Si sospecha que tiene problemas de Tortuga, entonces es el momento para iniciar la Autopreparación. Utilizando todo lo que ha aprendido hasta ahora, necesitará valentía para sacar la cabeza del caparazón y desafiar el pensamiento inseguro que hace que se sienta abrumado. La Autocharla le permitirá alejarse del miedo de su Niño Inseguro y arriesgarse a creer la verdad, que insiste en que no hay razón para no empezar a enfrentarse a la vida fuera del caparazón. La verdad dice que si de verdad anhela protección, no la va a encontrar en la prisión del caparazón. La verdad afirma que el poder, el verdadero poder, reside en la capacidad legítima para confiar en sus propios recursos para enfrentarse a la vida. La verdad le permite ver que evitar la vida no es nunca una respuesta satisfactoria, sólo es una salida rápida.

Aproveche los casos presentados en este capítulo para poder aplicarse a sí mismo sus propias técnicas de Autopreparación. Pese a que se trata de ejemplos en los que yo preparaba a los pacientes, debe reconocer que mis intervenciones representan lo que usted hará en su programa de Autopreparación. No es tan difícil, ya que con un poco de práctica y repetición, las técnicas serán predecibles.

¿Es el cielo o el infierno?

Para que no empiece a adscribir los síntomas de Tortuga exclusivamente a excéntricos multimillonarios o tipos raros, les voy a presentar a Tom. Si bien su conducta es claramente excesiva, posee elementos con los que prácticamente todos podemos identificarnos, sobre todo la tendencia hacia la evasión. Tom, un mecánico de treinta años soltero, era un gran entusiasta del cine. Poco a poco, empezó a construirse un costoso sistema de sala de cine en casa. Empezó con una televisión de 40 pulgadas, después se compró un DVD, un sistema de altavoces de alta fidelidad y por último un sillón reclinable con una extraordinaria piel que le costó una fortuna y que Tom alababa sin cesar. «De hecho, fue diseñado por la NASA para proporcionar una posición de gravedad cero durante los despegues.» Tom estaba realmente cómodo y satisfecho de su centro de entretenimiento y eso fue precisamente lo que desató el problema.

Eso ocurrió hacía unos años. Cuando conocí a Tom, ¿puede adivinar qué le preocupaba? Para empezar, había engordado, más de 15 kilos, se quedaba por las noches a ver la tele y después lo pasaba mal en el trabajo porque estaba cansado y se sentía moderadamente deprimido y ansioso. «Cuando me siento en el sillón, me podría quedar allí toda la noche. Además las cosas empeoraron cuando me compré una parabólica con 500 canales. Ahora no puedo apagar el televisor y nunca me voy a dormir antes de las dos o las tres de la madrugada. Ya nunca salgo. Míreme, parezco un saco de patatas. No me cuido nada. Lo único que hago cuando llego a casa es sentarme en mi sillón reclinable. Lo que más me asusta es que no estoy cambiando mi conducta.»

Un problema grave para Tom era que siempre que intentaba romper su ritual nocturno, sentía mucha ansiedad. Una vez sus esfuerzos se veían saboteados por la ansiedad, sólo quería refugiarse cada vez más y más en su equipado caparazón. Una película decente del videoclub era todo lo que necesitaba para acabar con su incomodidad y, por lo menos durante la duración de la película, no había ninguna lucha, permanecía en su entorno de gravedad cero contemplando el arte del cine.

Desgraciadamente, cuanto más se refugiaba, más descontrolada se volvía su vida, así que tenía que estar constantemente entretenido para evitar sentir ansiedad. Cuando estaba en el trabajo, lejos de su estilo de vida adictivo, se sentía desgraciado. La vida le estaba pasando por delante y él era literalmente un espectador. Su ansiedad se estaba convirtiendo en depresión, sobre todo cuando consideraba la falta de intimidad en su vida. Su creciente insatisfacción, frustración y miedo le llevaron a mí.

Tom acudió a la terapia con un conocimiento básico. Por ejemplo, ya sabía que por evadirse en un caparazón, la vida no va a esperar a que uno salga. Su trabajo, las facturas, las responsabilidades sociales y físicas y las demandas psicológicas como la dieta, el ejercicio y las relaciones se estaban resintiendo. Siempre que se erosiona su capacidad para enfrentarse a las responsabilidades de la vida, los problemas que apartó en su día vuelven pero triplicados y abrumándole de verdad. Así se inicia el círculo adictivo:

Cuanto más se evada → más exigencias de la vida se le acumularán → más abrumado se sentirá → más incentivos tendrá para evitar las responsabilidades → más se evadirá.

Intelectualmente Tom sabía lo que tenía que hacer, pero, sin embargo, escuchaba a su Niño Inseguro que le convencía de que era demasiado débil, estaba demasiado cansado, era incapaz de cambiar su conducta. Lo interesante es que, cuando la lucha de su Niño Inseguro se volvía muy intensa, normalmente Tom acudía a la cocina para calmar sus heridas con galletas y leche, tal y como hacía veinte años antes, cuando su madre le reñía porque no había terminado los deberes (algunos hábitos están muy arraigados). Noche tras noche, Tom no ponía resistencia a su Niño Inseguro, y le permitía que le dejase sumergirse más y más en ese mundo de evasión. Pero, cuanto más se sumergía, más deprimido se sentía. ¡El pobre Tom que creyó que su santuario de alta tecnología le daría años y años de felicidad! Tal y como se dice, ¡ojo con lo que se desea!

Zarandear el caparazón

Utilizando la Autopreparación, Tom y yo empezamos a indagar en el pensamiento inseguro que perpetraba su Niño Inseguro. Él se había convencido de que, a diferencia de las personas normales, era demasiado débil para soportar la vida. De hecho, en ese momento tenía razón. Padeciendo depresión, Tom empezó a sentirse abatido emocional y físicamente y, cuanto más se metía en el caparazón, más inactivo se volvió y más fatigado se sentía. Reconoció que la falta de ejercicio, el sobrepeso, la falta de sueño y el humor depresivo eran factores que contribuían a su malestar mental y físico. No obstante, desde dentro de su oscuro caparazón, no hacía nada para salir del apuro y decía incesantemente «es demasiado difícil». No me extraña que se sintiese angustiado y cansado.

En un primer momento, Tom pensó que la única razón por la que tenía problemas era su adicción a la televisión y el haber dejado que muchas cosas se le amontonasen. Era una visión bastante precisa de su dilema, pero, mediante el «llegar hasta el final» de la Autopreparación, pudimos establecer que era su estilo de vida completo (antes de la adicción a la televisión) el que instigó la construcción de ese caparazón tan elaborado.

Por lo que podía recordar, Tom nunca había tenido una cita con una chica que fuese bien. Este hecho suponía un gran factor de estrés que pesaba mucho en la mente de Tom. Los meses anteriores a la compra del televisor estuvieron repletos de reflexiones de inseguridad y miedo, ya que pensaba que nunca iba a encontrar una compañera y que iba a pasar el resto de su vida solo. Por eso empezó a beber, si bien con moderación, por la noche. Sabía que necesitaba hacer algo para calmar su ansiedad y depresión, pero no sabía qué. Durante este período peliagudo, Tom pasó por delante de una tienda de electrodomésticos y tomó una decisión en el acto.

Tom siempre había sido una persona solitaria: «Recuerdo que cuando iba al colegio, casi siempre estaba solo. No me gustaba juntarme con la gente. No sé si era por timidez o por inseguridad». Por fin, Tom estaba poniendo el dedo en la llaga del «por qué» de su conducta. Ahora reconocía que su adicción a los productos audiovisuales era una forma de compensar la distracción de una vida que no tenía. Sin embargo, se encontró en una situación en la que no podía salir vencedor, ya que o sacaba la cabeza hacia un mundo de frustración y rechazo o se quedaba dentro del caparazón deprimiéndose más y más. La respuesta a la que llegamos fue simple y directa: saca la cabeza ante el mundo, pero en vez de vivir con pensamientos distorsionados creados por el Niño Inseguro debe reemplazarlos por la Autocharla efectiva.

A Tom nunca le había gustado ser una Tortuga. Siempre le hubiese agradado formar parte del mundo, pero parecía que no encajaba, así que su asiento reclinable y su cine en casa eran extensiones de un caparazón que se había ido haciendo cada vez más duro con los años. La imagen que tenía de sí mismo se había ido deteriorando sin él saberlo, ya que con los años había aceptado su pauta de pensamiento inseguro y destructivo.

Incluso cuando progresábamos, Tom continuaba siendo presa de las percepciones tóxicas de su Niño Inseguro: «Tengo treinta años. He tenido muy pocas relaciones y ninguna ha sido seria ni ha salido bien. Cualquier mujer va a pensar que soy un tipo raro. ¡Qué vergüenza, los niñatos de dieciocho años tienen más experiencia que yo!». Tom no soportaba enfrentarse ni estar expuesto a lo que él concebía como insuficiencias. Su razón inicial para someterse a terapia había sido romper su hábito de ver la televisión en exceso, pero ahora ya había conocido todo lo relativo a su Niño Inseguro y a su conducta de Tortuga y tenía que ir más allá e intentar aceptar las responsabilidades de la vida.

Tom había crecido con este pensamiento de dejadez, que además lo aceptaba como una autocondena. Era necesario que empezase una disciplina y que trabajase la Autocharla. Acordamos un enfoque de tolerancia cero ante su Niño Inseguro y Tom empezó a luchar contra él, apreciando cómo su estilo de vida indulgente y esquivo estaba dirigido por las incesantes dudas y miedos del Niño. No tenía problemas para oír a su Niño Inseguro, por lo que decidió que estaba preparado para dejar de escucharle. En vez de intentar limitar el tiempo de televisión y luchar con su ambivalente, el quejicoso Niño, a Tom le pareció más sencillo no discutir, así que apagaba la televisión de golpe. Por supuesto, este hecho le provocaba ansiedad, pero estaba dispuesto a aceptar este malestar en vez de sentirse gobernado por el Niño Inseguro.

Tom se curó al responder con una de las decisiones más constructivas de toda su vida. Al reconocer que romper este hábito le causaba ansiedad y deseos adictivos, decidió apuntarse a un gimnasio local y poner remedio a su estado físico. Ahora, cuando llegaba a casa después del trabajo, en vez de apagar el televisor y luchar con los pensamientos de su Niño Inseguro, se iba directamente al gimnasio y se quedaba allí hasta que se sintiese mejor sobre sí mismo, lo que no solía requerir mucho tiempo.

Reflexión respecto a la Autopreparación

Si su Niño Inseguro siente fuerza y resolución, se echará hacia atrás.
Si su Niño Inseguro siente debilidad, se apoderará de usted.

En pocos meses Tom no sólo recuperó su vida, sino que además se puso en forma física también. La nueva seguridad que tenía en sí mismo era un bien que le había aportado el seguir su programa de Autocharla y no dejaba ni un ápice de tolerancia a su destructivo Niño Inseguro. Los pensamientos que antes iban de un lado hacia el otro en su cabeza se frenaron en seco. Si bien en el pasado hubiese escuchado esos pensamientos e incluso contribuido con algunas dudas más, ahora, en cuanto percibía que su Niño le intentaba engañar, escogía automáticamente el camino opuesto, el de dirigir su pensamiento hacia la responsabilidad y el compromiso. Se desafió a sí mismo a establecer contacto visual con las mujeres y después progresó a la charla e incluso al ligoteo. Lo que su Niño Inseguro siempre había contemplado como imposible se hizo realidad una vez Tom supo salir de su caparazón de una vez por todas.

Autoprepararse con la actitud adecuada

Tom conoció a alguien especial en el gimnasio y ¿sabe qué? Ella nunca notó su falta de experiencia y además le parecía ¡perfecto! No necesitó tener experiencia para ser amado. Sencillamente bastó con ser valiente consigo mismo.

Su Niño Inseguro, al menguar su confianza, siempre evita que aprenda lo efectiva que puede ser su personalidad natural y espontánea. Al igual que Tom, para poder ir más allá del dominio de su Niño Inseguro, tiene que estar dispuesto a arriesgarse a averiguar la verdad. No hay otra solución. Puede que le parezca que puede ser imprudente saltar a ese acantilado de dudas y timidez y penetrar en lo desconocido, pero esa percepción dista mucho de ser cierta. Verá que ese acantilado que siempre le había parecido tan peligroso e imposible en realidad no es un acantilado, sino un espejismo. Su Niño creó ese espejismo y usted, con el tiempo, lo aceptó a pies juntillas.

Como Tom hizo, usted llegará a un punto en el que tenga que apagar la televisión y tomar los pasos necesarios para dar ese salto de fe. Necesitará ser imprudente y arriesgarse a creer en sí mismo. ¡Tome la decisión ahora mismo! Decida ser temerario para sentirse después bien. Si teme perder el caparazón de tortuga, reflexione en profundidad. La única razón por la que se aferra al caparazón es porque no piensa en lo que hay fuera. ¿Conoce a alguien que se quiera comprar una televisión de 40 pulgadas?

Se encuentran caparazones de todas las formas y tamaños

¿Y usted? ¿Está creándose su caparazón ahora? Para que cualquier conducta se pueda considerar caparazón de Tortuga, debe mostrar un intento para evitar algún aspecto de la vida con el fin de sentirse más al control. Una regla básica es que cualquier conducta excesiva debería ponerse en tela de juicio como una posible desviación o evasión de la vida. Aquí exponemos algunos ejemplos comunes de las capas por las que están formados los caparazones:

- Ver la televisión, escuchar música, leer.
- Aislamiento emocional.
- Aislamiento social.
- Timidez.
- Uso excesivo de Internet.
- Comer compulsivamente.
- Consumo de alcohol y otras drogas.
- Adicción al juego.
- Correr o realizar ejercicio físico en exceso.
- Realizar un *hobby* en exceso.
- Trabajar demasiado.
- Hipocondría (alejamiento del mundo basado en la enfermedad).

Por qué se atraen las Tortugas, los Erizos y otros opuestos

Seguramente pensará que las Tortugas y los Erizos, al ser seres opuestos, se repelen los unos a los otros, pero no es así. Siempre y cuando el uno no suponga una amenaza para el otro, las Tortugas y los Erizos se suelen atraer mutuamente. Una Tortuga asediada y avasallada puede buscar en la agresividad de un Erizo la fuerza y la seguridad. El Erizo, por su lado, al reconocer lo agresiva que puede ser la gente, aprecia la pasividad y la calma de la Tortuga. En general se puede decir que las personas inseguras se sienten atraídas por cualquiera que promete aportar más control a su vida. Lo único que hay que hacer es encontrar a alguien que le prometa el regalo del control y se casará con ella. Mientras que ambos componentes de la pareja crean que su relación es benigna, pueden galopar juntos durante mucho tiempo, a veces años. Ahora bien, si uno de los dos se siente amenazado, entonces hay que estar alerta. Lo que puede haber empezado como un equipo de esfuerzo diseñado para rechazar los peligros de la vida se puede volver enseguida en una competición y, con una Tortuga y un Erizo, la cosa puede ponerse bastante fea.

Cualquier persona que haya trabajado con parejas casadas podrá decirle cómo las cualidades que atraen inicialmente a la pareja pueden convertirse en el veneno que las aleja. El marido tímido e inseguro que se casa con la esposa extrovertida porque ella trae la diversión a una vida que de otra forma sería aburrida, acaba aburrido de los constantes quejidos de su mujer por salir, socializarse, viajar. De igual forma, la esposa tímida, confundida y dudosa que se casa con el macho testarudo por su increíble convicción y certeza sobre la vida, acaba dándose cuenta de que no puede soportar a ese marido testarudo y cabezota. Si usted es propenso al pensamiento inseguro, tiene que tener cuidado con lo que le atrae. Una vez más, déjeme advertirle que tenga cuidado con lo que desea. Si su pensamiento está distorsionado por su Niño Inseguro, puede conseguir lo que deseaba y arrepentirse siempre.

En general, la atracción de los opuestos a menudo crea relaciones interesantes y equilibradas. Una persona saludable puede sentirse atraída por una personalidad opuesta, no como forma de control, sino de realce y complementación de su sana personalidad. Escoger a alguien opuesto sólo se convierte en un problema cuando ambos son gobernados por la inseguridad y el pensamiento inconsciente. Puesto que la atracción se basa en las ansias de control del Niño Inseguro, inevitablemente se sentirá decepcionado. ¿Por qué? Porque nadie puede hacer ese trabajo por usted. Cuanto antes se dé cuenta, lo acepte y se arriesgue a creerlo, antes progresará. En cambio, si se niega a creer que usted es su único responsable de su bienestar, la decepción empezará a llamar a la puerta y, además, suele pasar enseguida a resentimiento: «Me siento tan traicionado». Se sentirá traicionado porque no le pudieron rescatar de su inseguridad.

Eche un vistazo a los problemas maritales de Sherry y Brett. Vinieron a la terapia en un momento en el que la decepción ya hacía tiempo que había tomado un cariz de resentimiento. Sherry no tenía ni idea que durante los últimos cuatro años había estado casada con un Erizo, sino que en vez de afrontar que su marido tenía una actitud abusiva y detestable hacia ella, aceptaba pasivamente que todo era culpa suya. Sherry era una Tortuga que no podía soportar enfrentarse a los problemas reales de su matrimonio. Según su Niña Insegura, si fuese un poco más tolerante con él y con sus necesidades y menos emocional, todo saldría bien. Brett era el que tenía la sartén por el mango. Era un tipo duro, lo que Sherry necesitaba, al menos eso es lo que ella pensó cuando se casó con él.

Cuando conocí a Brett, me gustó su sonrisa graciosa. Parecía que estaba predispuesto a trabajar en su matrimonio, sobre todo, tal y como él decía: «A ayudar a su mujer a mejorar». Brett era un funcionario del ayuntamiento que defendía cierta posición política y enseguida me pareció que quería ganarse mi voto. Pronto comprendí que lo que quería es que pensase que era un marido maravilloso que sólo intentaba que su mujer no le volviese loco. Era muy persuasivo, como si fuese uno de esos vendedores telefónicos de suscripciones. No le interesaba lo que yo tenía que decir, sino que sólo quería que yo estuviese de acuerdo con su visión. Claro, no me extrañaba que fuese un político con tanto éxito. Sin embargo, poco a poco empecé a sospechar que esos argumentos tan bien atados no eran más que una forma para controlar y manipular a los demás. En ese momento, todavía no sospechaba que era un Erizo porque no le había visto las púas.

En nuestra segunda sesión las cosas se empezaron a torcer para Brett y empezaron a salir sus verdaderos colores. Sherry estaba hablando sobre cómo le chillaba, le regañaba y la asustaba siempre. Al mirar a Brett, vi cómo le invadía la rabia. Sus ojos mostraban que Sherry había dado justo en el clavo, donde más le dolía (después supe que le había advertido a Sherry que no hablase sobre su conducta). Aunque seguía sonriendo de forma inapropiada y fingiendo paciencia, la rojez de su cara, la hinchazón de las venas y el desencaje de mandíbula indicaban la tensión. Tenía que liberar de alguna forma esta situación, así que le pregunté qué pensaba.

En una controlada voz de calma, dijo: «Sherry es demasiado sensible. Tergiversa las cosas. Seguro que la he criticado de vez en cuando por haber olvidado ir a la lavandería o por no ir al mecánico, pero ¡nunca le he gritado! Es demasiado sensible. Lo exagera todo. De verdad, doctor, creo que Sherry tiene un problema con la realidad. ¿No le podría sugerir algún tipo de medicación?».

Las púas de Erizo de Brett, todavía escondidas, pese a estar alerta, eran su último recurso de defensa, así que seguía intentándolo con su falsa educación. Sólo recurriría a ellas cuando todo lo demás fallase y eso es lo que ocurrió dos sesiones después. Sherry estaba hablando de la ausencia crónica de Brett. Según ella, se ausentaba cada noche, todos los fines de semana con excusas como jugar al golf, viajes, etc., así que era como si no estuviesen casados. Brett, al sentirse atacado, empezó a enrojecer de nuevo. Por primera vez, su voz empezó a manifestar tensión y sus ojos se empequeñecieron mientras miraba a Sherry de forma amenazante.

Por una vez, Sherry no se echó para atrás. Le dijo lo infeliz y lo sola que se había sentido durante años. Esa fue la gota que colmó el vaso y Brett explotó. Se liberó de su comportamiento cívico y lanzó un ataque de Erizo. Ya estaba harto, así que necesitaba restaurar el control antes de que las cosas se saliesen de madre. Se levantó, se inclinó por encima de Sherry y gritó desde lo más hondo de sus pulmones: «¡Estás loca! No sé qué quieres de mí. No haces más que quejarte. ¡Estás loca!». Al ver a Brett mirando de esa forma a Sherry y gritándole, me dio miedo. Estaba intentando recuperar el control de una forma violenta típica de los Erizos. Me levanté y me puse entre ellos. Insistí en que Brett se calmase. De mala gana, acabó sentándose, humillado y enfadado.

A continuación, me sacó a mí las púas, diciéndome que era una porquería de psicólogo por no advertir los problemas de su esposa. ¡Uy! Por supuesto, mi pronóstico era muy distinto. Quería ayudarle a reconocer que el que tenía problemas era él y le sugerí que deberíamos tener una sesión a solas para tratar su rabia. Me miró con los ojos encendidos de enfado y se negó a seguir colaborando.

En las dos sesiones siguientes, Sherry acudió sola. Brett estaba muy «ocupado» y no podía venir. Al final, le dijo a Sherry que ella era la única que necesitaba terapia y que él ya no vendría más. Llamé a Brett y le animé a unirse a nosotros. Con excusas me dijo que le era imposible asistir porque tenía una agenda muy apretada y me pidió que ayudase a su esposa (ahora tenía las púas escondidas). Le expresé mi preocupación por la pérdida de control de la que había sido testigo y enseguida respondió: «Sin intención de ofenderle, doctor, se estaba alejando de los problemas de Sherry. No quiero decirle cómo tiene que hacer su trabajo, pero yo creo que está desperdiciando el dinero con usted». Ahora sí que utilizó las púas para desacreditarme. Se fue convencido de que mis palabras eran insignificantes y mi formación psicológica inadecuada era sin duda la causa. Esa visión puede estar provocada por las púas porque los Erizos nunca creen que se equivocan.

Sherry y yo discutimos el potencial de Brett a tener conductas violentas. Le dije que me sentía incómodo por lo que había testimoniado y le sugerí que considerase detenidamente el potencial violento de su esposo. Hablamos sobre las opciones de ella. Dijo que quería iniciar una retirada y aislarse en un caparazón durante algún tiempo para evitar los conflictos. Ella, al igual que Brett, ya había tenido suficiente, pero, a diferencia de Brett, buscaba la retirada en vez del rechazo. Ella anhelaba su caparazón de protección, así que en vez de afrontar la verdad, decidió dejar la terapia.

Con el tiempo, las Tortugas pueden darse una tregua debido a su falso sentido de seguridad por la existencia de una calma relativa en su caparazón.

Cuando habían pasado casi dos años, recibí una llamada de Sherry. A pesar de la preocupación que yo había mostrado por la conducta de Brett y de mis advertencias, Sherry decidió sacar la cabeza y, desprotegida, vulnerable, indefensa, intentó acabar ella sola con la hostilidad de Brett. En la crisis que se provocó, Brett le rompió un brazo y la mandíbula.

Aunque Brett y Sherry representan ejemplos extremos y tristes, su historia transmite el potencial destructivo creado cuando dos seres opuestos insisten en utilizar su relación como una herramienta de su Niño Inseguro. Este potencial destructivo no sólo se limita al abuso físico, sino que la violencia, el abuso o la intimidación psicológicas también son posibles. Pese a que el Erizo puede ser el que represente el mayor potencial de violencia, las Tortugas también pueden abusar. Se trata más bien de un abuso pasivo, infligiendo una forma distinta de destrucción de la pareja provocada por su retiro y alejamiento emocional.

Siempre les digo a las parejas cuando empezamos la terapia que no esperen que su pareja cambie. No hay que señalar con el dedo al otro, sino que hay que señalarse a uno mismo. Pregúntese: «¿Qué necesito hacer para ser mejor persona?». Si ambos miembros de la pareja aceptan la responsabilidad de la Autopreparación, las cosas pueden mejorar notablemente. Cada uno, al trabajar para ser mejor, más saludable y menos inseguro, puede aportar a la pareja una capacidad única para relacionarse, alejándose de los dictados defensivos del Niño Inseguro.

Brett, aparte de su violencia, también estaba acompañado por malas circunstancias. Señalaba a Sherry con el dedo y la consideraba la loca, el problema, y la causa de todos sus males. Cuando uno cree que otra persona es responsable de nuestra insatisfacción, ¿cómo se puede querer a esa persona? Seguramente, al final se acabará sintiendo resentimiento, u odio, hacia esa persona. No puede ocurrir nada positivo cuando se permite que perdure una visión limitada y estrecha del mundo.

Cabeza y cola

Al igual que la cabeza y la cola representan caras opuestas de la misma moneda, la conducta de los Erizos y las Tortugas representan caras opuestas del mismo objetivo: el control. A pesar de lo distinto que pueda parecer su comportamiento, están unidos por una necesidad de control. Por esta razón es posible ser un Erizo a veces y una Tortuga otras veces y viceversa. Por ejemplo, puede prevalecer la actitud Tortuga de un marido para evitar conflictos, así que se esconde en la oficina, e intenta no alterar la marea. Sin embargo, cuando el marido Tortuga llega a casa, se siente seguro y puede que se transforme en un Erizo con su mujer y sus niños, gruñendo, atacando e intentando alejarse de sus necesidades. «¡Alejaros de mí! ¡He tenido un día muy duro en el trabajo!»

No todas las conductas defensivas son predecibles, ya que las circunstancias externas pueden precipitar una respuesta nociva inesperada. Dependiendo de estas circunstancias, un minuto puede que rechace y al siguiente se retire, puesto que cabe notar que las personas sensibles al control son oportunistas consumados. El control es lo único que importa y eso me recuerda la oración de los agnósticos: «Querido Dios, si hay Dios, oye mi oración». Esta oración está pronunciada por una persona sensible al control que cubre bien su base, no corre ningún riesgo y, si hay Dios, por favor permita que sienta que tiene el control.

Su personalidad particular hará que tienda hacia ciertas estrategias de defensa y no otras. Según sus puntos fuertes y débiles, mediante un proceso de prueba y error, habrá aprendido lo que le funciona y lo que no. Lo que funciona lo practicará hasta la saciedad el Niño Inseguro, pero sea siempre consciente que lo que funciona *para* el Niño Inseguro le *perjudica* a usted.

Sugerencia para la preparación

Observe las experiencias de caparazón de Tortuga que describimos a continuación en la tabla. Al lado de cada tendencia, verá una escala que va del 1 (nunca) al 5 (a menudo). Evalúe cada conducta de Tortuga que haya advertido en usted en los últimos tres meses.

Si ha hecho ya alguna lista de tendencias de Tortuga, incluya esta autoevaluación en su diario de preparación. A medida que vaya progresando en la Autopreparación, deberá volver a hacer este examen de forma periódica (le recomiendo una vez al mes) para evaluar el efecto que el programa está ejerciendo sobre estas tendencias. Para obtener los resultados, basta con contar todas sus respuestas y comparar las cifras con las de los meses anteriores.

Tendencias de Tortuga	Nunca	De vez en cuando			A menudo
Ver la televisión, escuchar música, leer.	1	2	3	4	5
Retirada emocional.	1	2	3	4	5
Aislamiento social.	1	2	3	4	5
Timidez.	1	2	3	4	5
Uso excesivo de Internet.	1	2	3	4	5
Comer de forma compulsiva.	1	2	3	4	5
Consumo de alcohol y otras drogas.	1	2	3	4	5
Adicción al juego.	1	2	3	4	5
Correr o hacer ejercicio en exceso.	1	2	3	4	5
Realizar un *hobby* en exceso.	1	2	3	4	5
Trabajar en exceso.	1	2	3	4	5
Hipocondría (alejamiento centrado en una enfermedad).	1	2	3	4	5
Retirada por diversas razones.	1	2	3	4	5

15

Autopreparación para Camaleones

La mayoría de las personas están familiarizadas con los camaleones, si bien puede que nunca hayan visto de verdad a uno de esos lagartos arbóreos que sacan esa larga lengua que tiene casi el doble de su longitud, seguro que conocen la capacidad distintiva que poseen para cambiar el color de su piel. Llamar a alguien camaleón suele ser una forma despectiva para decir que esa persona cambia su personalidad dependiendo de las circunstancias. Los camaleones, a parte de esta característica defensiva de camuflaje, también son animales misteriosos, solitarios, agresivos, territoriales y con mal genio. Toda una lista interesante, aunque no atractiva, de atributos, sobre todo cuando se dan en seres humanos. Pese a que los seres humanos Camaleón pueden compartir algunos de estos rasgos, hay uno que sobresale, la capacidad para manipular la forma en que les perciben los demás. En la familia de los lagartos, se denomina coloración protectora, pero en los humanos se llama ser falso o chaquetero.

En el mundo salvaje, la coloración protectora se encuentra a menudo entre las criaturas más desprotegidas, entre las que no tienen otro medio de defensa (aunque la coloración protectora puede beneficiar a depredadores como los tigres o los guepardos, me estoy refiriendo a animales que la utilizan únicamente como defensa). Si bien no es una forma de defensa tan glamourosa como las pinzas, las alas, los dientes o el veneno, es muy efectiva (intente ver una raqueta de nieve que esté sólo a unos metros de distancia). Aunque los camaleones humanos no cambian de color, pueden ser muy cambiantes y engañosos y, como sus homólogos los lagartos, pueden ser muy eficientes a la hora de manipular una situación. Los Camaleones se encuentran en tres variedades, lo que yo llamo el Estafador, el Político y el Diplomático. Cada uno intenta controlar ajustando cada contexto a la situación (cómo usted puede contemplarle) o al contenido (lo que la persona le explica). No hay nada sagrado para un Camaleón, excepto controlarlo todo.

Seguramente, llegados a este punto, usted ya sepa que el control es un espejismo. Las soluciones de los camaleones no son más efectivas para ofrecerle control y estabilidad en su vida que cualquier otra estrategia mencionada hasta ahora. Además, como le ocurría a las otras expresiones de control que hemos visto en el libro, lo opuesto siempre es verdad: en vez de aliviar sus síntomas debilitadores, estas estrategias alimentan a su Niño Inseguro, la fuente de su ansiedad y depresión crónicas.

El Estafador

Cuesta detectar los rasgos de los Camaleones porque están protegidos por una capa de racionalismo y denegación. La mayoría de los Camaleones están tan cegados por su conducta que sólo bajo circunstancias excepcionales empezarán a ver, y cuestionar, su propia conducta. Al igual que cualquier estrategia de control, cuanto más extrema sea la expresión defensiva, más resistente será el tratamiento. Además, puesto que los Camaleones son unos manipuladores tan efectivos, no intentarán cambiar algo que funciona. Sin embargo, con el tiempo, esa forma hueca y superficial de vida empezará a generar depresión y, cuando eso ocurre, atrapa la atención de la persona y la humilla. Incluso el Camaleón más duro empezará a cuestionarse su forma de vida cuando empiecen a aflorar los síntomas depresivos. Ese será el momento en el que la Autopreparación será efectiva.

De las tres manifestaciones del Camaleón, el Estafador tiene el honor dudoso de ser la estrategia más fea. El Estafador sólo tiene un objetivo innoble: engañar a las personas. Es una defensa en la que el fin (el control) justifica los medios (engaño). El *fin* que persiguen la mayor parte de los Estafadores suele ser financiero, para obtener una posición, poder o alguna adquisición. Esa actitud de «estar por encima» es la que le ha dado esa mala reputación a los Estafadores. Eche una ojeada a uno de los Estafadores con los que tuve la desgracia de cruzarme.

El incidente del reloj

Debería tener unos diez u once años cuando un día, mientras estaba jugando enfrente de mi casa, un tipo con un cochazo con matrícula de Nueva York frenó y me llamó. Estábamos a finales de los cincuenta, cuando se educaba a los niños para que fuesen educados con los desconocidos. Me dijo que tenía un «negocio» con relojes de mujeres. Por casualidad, yo había estado pensando por aquel entonces en qué me gastaría un dinerillo que había ahorrado para comprarle un regalo de cumpleaños a mi madre.

Me enseñó el reloj. Era precioso. Nunca había visto un reloj tan bonito y pensé que nunca podría pagar lo que costaba. Le dije que estaba buscando un regalo para mi madre, pero que no podría pagar ese reloj. Me preguntó que cuánto dinero tenía y le respondí. Me dijo si no podía entrar en casa y buscar un poco más de dinero. Le dije que no y pareció molestarse un poco, pero enseguida me dijo que si quería el reloj me lo daría por el dinero que tenía. También me dijo que no estaba contento con el trato: «¿Sabes? Podría conseguir hasta diez veces más por esta monada». Sabía que tenía razón porque podía ver cómo relucía el oro de la correa. Antes de que cambiase de opinión, corrí a casa a buscar el dinero sin creerme la suerte que había tenido. ¡Qué suerte!

Esa noche, le di a mi madre el reloj. Abrió la caja y, ante mi sorpresa, se quedó muda. Sacó el reloj de la caja y antes de ponérselo en la muñeca me dijo: «¿Sabes que este reloj no tiene manecillas?»

Me mostró el reloj (que yo nunca había sacado de la caja) y no pesaba nada. Tenía razón. Estaba hueco. No sé qué dijo después porque me quedé atónito. ¿Cómo podía haber ocurrido? ¿No se dio cuenta ese hombre de todas las horas que tuve que trabajar haciendo recados para reunir ese dinero? ¿No sabía lo importante que era ese regalo para mí? ¿Cómo podía haber personas tan malas y corruptas en el mundo? No. No. Porque sí.

Puede llamarme inocente, simplón, pero hasta ese momento nunca había sido consciente de la maldad. Me habían estafado. Estoy seguro de que el tipo cogió el dinero y se fue sin sentirse ni bien ni mal por ello. Era parte de su día de trabajo para él. Era un Estafador viviendo en un mundo cruel.

Ver la vida a través del agujero de una aguja

Un aspecto muy interesante de los camaleones (de la familia de los lagartos) es que tienen los ojos cubiertos por la misma clase de piel que cubre sus cuerpos. Sólo hay un pequeño agujero en esta membrana por el que puede ver el animal. Creo que existe un cierto paralelismo entre los camaleones lagartos y los Camaleones Estafadores. Los Estafadores sólo ven a través de un pequeño agujero, su avaricia (la visión de agujero y la visión en túnel son lo mismo. Utilizo el término agujero aquí porque creo que aporta al lector una imagen más gráfica de la corta y estrecha mira egoísta de los Estafadores). El dinero representa el control y el control es lo único que importa. Eso es la visión de la vida por un agujero.

Cuando un Niño Inseguro se siente amenazado o tiene miedo, la perspectiva en forma de agujero puede hacer todo lo posible para recuperar el control. Tanto si se trata de dinero, poder o una posición social, si tiene lo que el Estafador necesita, éste no dudará en quitárselo. Recuerde el credo de los estafadores: El fin siempre justifica los medios. Es una creencia que se apoya en la actitud «tengo que hacer lo que tengo que hacer». Los Estafadores no suelen sentir ningún tipo de remordimiento al quitarle a las personas «lo que es necesario». Ellos ven las trampas, el robo y las estafas como parte de una conducta necesaria para conseguir el control.

El Niño Inseguro racionaliza la estafa como una autodefensa. Cuando siente miedo o inseguridad, usted, como el resto de las personas mencionadas en este capítulo, tiene más probabilidades de salirse de su centro moral y estar ciegamente guiado por la visión de agujero. A veces podrá acabar con una pérdida absoluta de perspectiva cuando su Niño se centre en que *tiene* que recuperar el control y, en algunos casos, las consecuencias de dicha manipulación pueden ser muy graves, incluso delictivas.

En situaciones en las que uno se excusa a sí mismo y deja que prevalezca la mentalidad del Estafador, está permitiendo que una visión de agujero del Niño Inseguro le guíe. Pese a estar muy seducido por encontrar una solución tan rápida a su estrés, debe reconocer que siempre que se permite que el Niño Inseguro *gobierne* su vida, está abriéndole las puertas para que *destroce* su vida. ¡Vivir con el Niño y morir en manos de él! Puesto que la solución por la que optan los Estafadores ante cualquier problema es satisfacer su necesidad momentánea de control, a largo plazo el Estafador se convierte en un blanco para la ansiedad y la depresión. ¿Por qué? Pues porque el Estafador en realidad no hace nada para sentirse más seguro, sino para reforzar el poder de su Niño Inseguro. Tenga en cuenta que un Niño Inseguro con un poco de confianza y seguridad seguramente seguirá repitiendo los medios que ha comprobado que funcionan. Lo que podía ser una solución aislada del Estafador ante un problema concreto, puede convertirse en un hábito regular de control.

Reflexión respecto a la Autopreparación

La seguridad sólo puede provenir de su centro moral,
nunca de su Niño Inseguro.

El político

El segundo tipo de Camaleón, el Político, es un poco menos ofensivo que el Estafador, pero sólo un poco. Los políticos no siempre le van a asaltar para robarle sus ahorros o perpetrar una estafa, pero intentarán manipularle a usted y a la verdad. La mayor ambición para un Político es convertirle a usted en su punto de mira para conseguir su voto. Suelen ser buenos oradores que se sienten mucho más cómodos con los pensamientos que con los sentimientos y nunca, pero nunca, se equivocan en nada. Para ellos, todo es cuestión de perspectiva, de su perspectiva.

No sé qué opina usted, pero yo cuando escucho a un político, normalmente acabo cansado de imaginarme cuál será la verdad subyacente a toda esa retórica. ¿Dónde? ¿Oh, dónde está la verdad? Quizás el comentario más arquetípico realizado por un político fue el del presidente norteamericano Clinton cuando se enfrentó al jurado. Cuando le preguntaron (en referencia a una relación sexual con Monica Lewinsky): «¿Es eso correcto?», el Sr. Clinton respondió: «Depende de cuál sea el significado de la palabra "es"». Esta frase, para mí, siempre definirá la esencia y el alma de todos los políticos, incluso de los Camaleones. No hay centro. La verdad, la culpabilidad, la moral y la realidad son relativas. Es todo cuestión de interpretación. No intento desacreditar al Sr. Clinton, ya que creo que es para lo que le formaron toda su vida: ser un político consumado. Todos esperamos mucho de nuestras figuras políticas y de nuestro sistema político, pero no estamos tan acostumbrados a reconocer y a hablar con «políticos» (del tipo camaleónico) en nuestra vida cotidiana.

¡Es que no me entendéis!

George, un vendedor de seguros soltero de treinta y siete años, resultó ser un Político. Asistía a nuestro grupo de terapia que impartí hace algunos años. Fuese lo que fuese que el grupo le lanzase, él, como Político, lo esquivaba con habilidad y se libraba de toda responsabilidad. Una noche, la clase le pidió responsabilidades por llegar tarde de forma consistente a la terapia (siempre llegaba al menos 15 minutos tarde a la sesión). George respondió ante las acusaciones:

«Puedo entender por qué estáis molestos conmigo por llegar tarde... ¿de verdad he llegado tarde cada semana? Bueno, no creo que sea preciso, pero si lo afirmáis estoy dispuesto a aceptarlo. No intento excusarme, pero, por ejemplo, esta noche me he quedado en el trabajo hasta tarde porque tenía que llamar a algunos clientes. Pese a lo mucho que valoro este grupo en general y a cada uno de vosotros en particular, sigo teniendo una obligación moral con mis clientes. Hice todo lo posible para acabar con las llamadas lo antes posibles. Podía haber estado una hora más, pero vosotros sois muy importantes, así que dejé las llamadas a medio hacer y vine aquí lo antes que pude. Iba tan rápido circulando que pensé que me iban a poner una multa, pero prefería la multa antes que llegar un minuto más tarde.»

El grupo, cansado de la misma historia, no quedó satisfecho con la maniobra de George. Al sentir la tensión, George puso una marcha más rápida:

«Y me apuesto lo que sea a que todos habéis comido, ¿no es así? Yo podía haber hecho una parada para comer algo rápido, pero no lo hice. Lo que intento deciros es lo mucho que lo estoy intentando. Lo hago lo mejor que puedo. Os podríais poner en mi situación y seguro que si lo hicieseis os daríais cuenta de lo mucho que me sacrifico para venir aquí, así que por lo único que se me puede acusar es por darle tanta importancia a este grupo. De verdad creo que sería genial si me pudieseis dar un poco de margen.»

El grupo aceptó con reticencia el *mea culpa* político de George de momento. Sin embargo, pronto se cansaron, ya que continuó llegando tarde a la terapia. Eso sí, siempre tenía alguna razón, alguna disculpa. Incluso cuando acabó relegado a una esquina de la sala porque el grupo ya no estaba dispuesto a aceptar más excusas, no quiso sincerarse. Agarró sus armas y siguió haciendo creer al grupo lo maravilloso, pero incomprendido, que era («depende de cuál sea el significado de la palabra "es"»).

Relaciones políticas

Si ya a la mayoría nos entra dolor de cabeza cuando escuchamos debates políticos, imagínese lo que debe de ser estar casado con un político. No es nada fácil. El desequilibrio de las responsabilidades en la relación hace que la mayor parte de estas parejas acudan a psicólogos o a los tribunales.

Stephanie y Ray constituyen un buen ejemplo. Ella es una importante fiscal que hubiese sido también muy importante si se hubiese decidido por la política y él es un chico sensible y educado que ha ido cambiando de profesión debido a diversos fracasos. Según Ray:

«He estado casado cuatro años y las cosas han empeorado bastante últimamente. Steph tiene un trabajo difícil y está sometida a gran presión, lo sé. Pero espera demasiado de mí. Sé que ahora no trabajo, pero estoy buscando. Encontraré algo pronto. Ella quiere que me encargue de todo lo relacionado con la casa: la compra, la limpieza, el jardín. No hace nada. Bueno, decir que no hace nada no está bien porque hace lo que le gusta. El fin de semana pasado se le antojó arreglar el jardín y fue a un invernadero a comprar flores. Si le gusta algo, lo hace, pero yo no puedo tener antojos, sólo obligaciones.

Cuando intento hablar con ella de este desequilibrio, me dice que estoy siendo injusto. Siempre me dice que gracias a su sueldo podemos vivir. Si le pido ayuda, aunque diga que sí que me va a ayudar, al final siempre está muy ocupada, cansada o algo. La semana pasada le pedí que comprase una botella de vino de camino a casa para acompañar la cena de espagueti que estaba haciendo. Por supuesto, no tuvo tiempo y, cuando me mostré molesto, me dijo: "Sé que estás intentando conseguir un trabajo y que las cosas son frustrantes, pero no lo pagues conmigo. Mi trabajo requiere tanto de mí que tengo que decirte que parar para comprar una botella de vino no es muy importante".

Nunca puedo ganar. Si no me sintiese tan inseguro sobre mi futuro profesional, quizás decidiría dejar más claro lo que me parece justo. A veces creo que Steph tiene razón, pero está equivocada. Quiero decir que es muy convincente, pero desconfío porque nunca cree equivocarse y nadie puede tener siempre la razón, ¿no?

Sé que parece un chiclé, pero la otra noche cuando me fui a cepillar los dientes la pasta de dientes no tenía el tapón enroscado. Cuando fui a la cama le mencioné que la pasta de dientes estaba muy seca porque no tenía el tapón y le dije que intentase ponerlo la próxima vez. Ella me dijo que a mí me resultaba imposible entender lo ocupada que estaba porque yo no tengo presión en mi vida y que preocuparme tanto por la pasta de dientes era un indicador de lo ridículas que eran las presiones de mi vida.»

La defensa política

Tras tres sesiones con Stephanie y Ray, llegué a la conclusión que las ideas de Ray no eran exageradas e incluso me parecía que Ray estaba infravalorando la personalidad de su esposa, que era una Política consumada cuya Niña Insegura empleaba la visión del agujero de la vida para justificar todas sus acciones. En la terapia, admitió ser una estrella (es mucho más fácil aceptar ser una estrella debido a las asociaciones positivas que tiene con la gente que tiene éxito), pero no podía verse a sí misma sólo Política (por las implicaciones negativas que tiene de ser alguien engañoso). Según su punto de vista, lo que debería ponerse en tela de juicio eran las preocupaciones nimias de Ray. Tenía una posición muy firme y no iba a ceder ni un ápice.

Durante la terapia, mostró su dominio a la hora de desviar las críticas, insistiendo en que la única razón por la que se mostraba negativa, rígida o arrogante era porque Ray la provocaba. Realmente creía que no tenía nada de culpa. «Si Ray no se quejase tanto por tonterías... ¡Saca lo peor de mí!» Estaba claro que Ray no podía ganar. Hiciese lo que hiciese o dijese lo que dijese, Stephanie siempre le daba la vuelta a la tortilla. «Si no fueses tan inseguro y celoso podrías ver las cosas de forma más clara.» Una vez, cuando Stephanie acusó a Ray de ser un quejica, le paré los pies: «Ray no se está quejando. Sencillamente está preguntando si a usted le parece que estaba siendo justa con la relación. ¿Lo es?» Stephanie, un poco ruborizada, respondió: «¿Se da cuenta de lo que he hecho por este hombre? ¿Todo lo que he puesto en esta relación? Si no fuese por mi trabajo, Ray tendría muchos más problemas que una pasta de dientes sin tapón».

Puesto que la visión estrecha de la vida que poseía Stephanie hacía que no fuese consciente de su posición defensiva, me parecía evidente que, antes de enfrentarse a su Niña Insegura, necesitaría empezar la Autopreparación. Puesto que me pareció que no sabía aceptar las críticas, la animé a considerar si esa dificultad podría ser una estrategia defensiva diseñada para protegerla de la vulnerabilidad. Se lo dije de forma muy diplomática en vez de anticiparle que creía que así era, de forma que ella dijo que reflexionaría sobre la idea.

En la siguiente sesión, me llevé una sorpresa porque Stephanie había hecho deberes. Dijo que había percibido (admitido) que en el trabajo no caía bien. Empezó describiendo el aislamiento y la exclusión que sentía a la hora de comer y en las reuniones sociales. De alguna forma había sacado a la luz sus sentimientos, pero seguía sintiendo la necesidad de protegerse, por lo que dijo «¡Menudos idiotas!» al referirse a sus compañeros. Ella necesitaba que la aplaudiesen, y a pesar de ser una de las piezas fundamentales de la empresa y de ser valorada por su capacidad, se sentía fuera de lugar. Ese era el punto que yo había tocado anteriormente: la verdad era que estaba luchando contra sentimientos de vulnerabilidad, falta de aceptación y autoestima baja.

Por primera vez, se mostró curiosa ante las percepciones de Ray. Aparte de escudarse en sus defensas, lo que la aisló aún más del resto de la gente, a Stephanie nunca se le pasó por la mente que podía hacer algo para cambiar sus experiencias de rechazo. Fue asombroso para ella advertir que su conducta (intentar aislarse del rechazo) imposibilitaba que alguien se acercase a ella. Reconoció que esperaba el rechazo y no quería que le hiciesen daño. Ray exclamó: «Yo no quiero hacerte daño», y sus ojos acuosos brillaron.

En vez de desafiar sus inseguridades, Stephanie escogió una vida de protección y control y la anticipación al rechazo fue la que instigó ese punto de vista tan estrecho de la vida. Su defensa, tan característica de los Políticos, le permitió negar el dolor, ya que para ellos nada puede afectarte ni dañarte, ni siquiera el rechazo o el abandono. Finalmente Stephanie logró ensanchar sus miras y, con la ayuda de Ray, aceptaba que estaba muy limitada y que se escudaba en su defensa y arrogancia, en su pensamiento en blanco y negro y en su necesidad de tener la razón y estar al mando.

Stephanie era muy cautelosa y había olvidado ya lo desplazada que se había sentido con el nacimiento de su hermano pequeño. Él nació con un grave defecto, por lo que necesitaba una extraordinaria atención y energía por parte de sus padres. Stephanie, que había sido hija única durante cinco años, no podía entender el abandono que sentía. La salud de su hermano sólo mejoró tras varias intervenciones quirúrgicas (al cabo de los años). Por entonces, Stephanie ya había perfeccionado su plan de autoprotección: dejar de sentir, empezar a actuar.

Aun así, sus esfuerzos no se vieron recompensados. Sus padres estaban demasiado absorbidos y Stephanie hacía todo lo posible por ocultar su inseguridad y miedo. Por desgracia, logró su plan desarrollando una capa de arrogancia y distanciamiento. Quería ser mejor que nadie y, aunque era muy poco querida a nivel social, era una de las mejores de la clase. Cuando llegó a la universidad, consiguió superar sus sentimientos de vulnerabilidad y sólo ahora, años después, con la terapia se dio cuenta que al pasar por alto sus sentimientos se había hecho inaccesible a ser amada. Eso era lo que Ray le había intentado decir durante años.

En este momento, considerando que Stephanie es una persona brillante, su Niña Insegura no tenía otra salida. Siempre que se daba cuenta de que se estaba escabullendo, paraba, reflexionaba e intentaba responder de una forma más sincera. Porque su Niña quisiese distanciarse no quería decir que Stephanie también lo quisiese y, de esta forma, empezó a tomar parte más activa en todas sus relaciones, sobre todo con Ray. Animada por la respuesta positiva a sus esfuerzos, Stephanie se convenció de que ser más sensible, más comprometida y vulnerable no era un déficit.

Autoevaluación de Políticos

Puesto que los Políticos no son conscientes de sus defensas políticas, una autoevaluación podría ayudarle a detectar si su Niño Inseguro es un Político. Responda cada pregunta según considere que es básicamente verdadera o falsa. Si no está seguro, déjela en blanco.

V   F   Tengo que tener la razón.

V   F   Si me critican, normalmente puedo darle la vuelta a la tortilla.

V   F   Pensar es un rasgo mucho más valioso que sentir.

V   F   Tengo que caer bien, ser admirado o apreciado.

V   F   Si hay una discusión, no suelo ceder.

V   F   Incluso si no creo en lo que defiendo, tengo la necesidad de salir airoso.

V   F   No me tomo bien las críticas.

V   F   Cuando me siento amenazado, me vuelvo astuto y calculador.

V   F   Los sentimientos normalmente son un estorbo.

V   F   Me cuesta admitir que he hecho algo mal.

V   F   Siempre puedo justificar mis acciones.

V	F	Prefiero convencer que vencer a un oponente.
V	F	A menudo veo a las personas como adversarios.
V	F	Uno nunca puede estar demasiado seguro ni a salvo.
V	F	Suelo ser bastante persuasivo.
V	F	No dejo que las personas me afecten.
V	F	Prefiero ganar a tener razón.

Si ha obtenido un resultado de entre 13 y 17 quiere decir que posee marcadas tendencias políticas; entre 8 y 12 posee tendencias moderadas y entre 4 y 7 tendencias débiles. Un marcador por debajo de 4 indica que no posee prácticamente tendencias políticas.

Diplomáticos

La última categoría del Camaleón es la del Diplomático, también conocido como la persona «Sí». A diferencia del Estafador, que quiere timarle, o el Político, que quiere convertirle, el Diplomático pretende satisfacerle. No obstante, antes de sentirse halagado, tenga en cuenta que esta satisfacción no tiene mucho que ver con su bienestar o felicidad, sino que todo se debe al control de Diplomático. Cuando se siente bien con un Diplomático, no va a suponer una amenaza para él. Si no es una amenaza, entonces la situación está controlada. «Sí, Sr. Policía, ya sé que he sobrepasado el límite de velocidad. Siento mucho haberle molestado. Su trabajo ya es lo suficientemente duro como para ir persiguiendo además a descuidados como yo.»

La peor situación a la que se tendrá que enfrentar un Diplomático es ante alguien que se enfade. Cuando la gente se enfada, ¿quién sabe cómo puede reaccionar? Esta incertidumbre es la que hace que los Diplomáticos se sientan inseguros y fuera de control. Hay que tener en cuenta que pueden obsesionarse mucho si ofenden a alguien.

Buscar la paz

Observe la reacción de Rudy ante un compañero de trabajo que intentó ligar con su novia, Mary:

«Desde que le llamé y le dije que se alejase de Mary, he estado pensando y pensando en ello. Anoche tenía tanto miedo que le pedí a mi madre que me diese unos tranquilizantes. Me sigo preguntando: "¿Por qué? ¿Por qué? ¿Por qué?". No sé qué me ocurrió porque lo que me parece más lógico es haberle ignorado. Eso es lo que quería Mary. ¿Por qué no le hice caso? No sé, exploté. Me acuerdo que le amenacé y le grité, aunque no recuerdo bien lo que le dije. Él nunca me contestó mal, sólo puso una cara rara, como diciendo: ¿A qué viene todo esto?

Es algo tan inusual en mí, tan estúpido. Ahora ya no puedo hacer nada. ¿Cómo sé que no le he hecho daño con mis palabras? Siempre pensé que era un tipo raro, no sé, quizás intente esperarme por ahí con un bate de béisbol o quiera hacerme daño de otra forma. No sé. Quizás llame al jefe y empiece algún rumor, amenace a mi novia, me destroce el coche... ¿Quién sabe de lo que es capaz? Nunca voy a poder bajar la guardia. Podrían pasar meses antes de que decida pasar a la *acción*. ¿Podré estar a salvo algún día?»

El pobre Rudy no estaba acostumbrado a arriesgarse a expresar sus sentimientos. Si observamos la magnitud de su reacción paranoica podremos comprender el porqué. La experiencia de Rudy (gritar a su compañero) era algo inusual en él. De hecho, ¡podría considerarse poco diplomático! Estaba acostumbrado a controlar las situaciones minimizando las consecuencias, aceptando y asintiendo a todo. «Dales lo que quieren y te dejarán en paz» era un lema que le iba muy bien. Sin embargo, la ansiedad de Rudy le sugirió una solución (pero era una solución propuesta por el Niño Inseguro):

«Me entran ganas de hablar con él, de decirle que no pasa nada. Intentaré que nos demos la mano y le preguntaré si entiende por qué me afectó. Ya me siento mejor.»

Rudy se empezó a sentir mejor porque encontró una forma (la forma de su Niño Inseguro) para restaurar el control, que no tiene nada que ver con lo que Rudy cree o quiere, sino con suavizar a su antagonista con una solución diplomática (no muy satisfactoria, pero segura). Es cierto que ser un Diplomático puede eliminar todo excepto algunos interrogantes, pero ¿a qué precio?

A lo largo de este libro hemos visto cómo el control acaba siendo siempre un intento miope para sentirse seguro. Rudy puede ir por la vida complaciendo a todo el mundo, hacer lo imposible por evitar el conflicto, pero la pregunta es: ¿puede alguien como Rudy encontrar la paz verdadera en un mundo que requiere un consentimiento total? Quizás, pero no encontrará consuelo.

Decir «sí» cuando queremos decir «no»

Los Diplomáticos son personas que dicen «sí» y les cuesta mucho decir «no» a algo o alguien. No les importa que esta estrategia cargue su vida con responsabilidades y exigencias adicionales porque sencillamente no pueden decir «no». Bueno, esto no es verdad al cien por cien. Si su negación no se debe a ellos, «Me encantaría ayudarte, pero tengo que ir a una entrevista y no voy a estar aquí mañana», entonces está bien. En ese caso, el Diplomático se siente redimido de la culpa y, por lo tanto, alejado del enfado de los demás.

Matt, un trabajador social de cincuenta y tres años, tenía muchas dificultades para decir «no». Todo el mundo le quería y ¿cómo no? Complacía a todos. Le pidiesen lo que le pidiesen, siempre aceptaba con una sonrisa, pero no hay que dejar que eso nos engañe, ya que por dentro estaban bullendo el conflicto y la ansiedad:

> «Le dije a mi jefe que volaría hasta Chicago a finales de la semana que viene para concretar un acuerdo en el que hemos estado trabajando. Anoche, mi amigo me llamó muy entusiasmado y me dijo que tenía dos entradas para un partido de baloncesto muy importante y que cuenta conmigo. Resulta que el partido coincide con la fecha en que debería ir a Chicago. ¿Qué me pasa? Estaba en el teléfono y, aunque sabía que tenía que rechazar la entrada, que no tenía elección, pero ¿qué le dije? Le dije que era genial y que me moría de ganas de ir. ¡Estoy loco! No le pude decir que no. ¿Sabe lo que es aún peor? Además de decirle que sí, le animé aún más respecto a ir al partido. ¡No sé si estoy loco o soy tonto!
>
> Si voy al partido y pierde nuestro equipo, entonces me puedo ir a dormir y volar al día siguiente a Chicago, pero si gana, tendré que celebrarlo y no podré aguantarlo todo. No sé qué voy a hacer.»

Por suerte para Matt, su equipo perdió, así que pudo volar al día siguiente. ¿Aprendió algo de todo esto? Sí. Se dio cuenta de que este tipo de dilema se le planteaba a menudo y, si bien a veces se resolvían de forma natural (como en este caso de las entradas) en otros casos tenía que hacer locuras para satisfacer a todos (estando incluso enfermo o lesionado) y otras veces la situación no podía resolverse, lo que le dejaba unas cicatrices y malos sentimientos.

Matt era especialmente vulnerable a las invitaciones. Durante los años, había muchas cosas que había hecho de mala gana. Él es una persona a la que le gusta beber cerveza, comer perritos calientes y ver deportes, pero durante los años se había obligado a ir a la ópera, al ballet e incluso a los museos de arte. Últimamente Matt había percibido que su sueño quedaba perturbado varias veces y que estaba de peor humor que el año pasado. Cuando empecé a hablar con Matt se sentía atraído por las soluciones de tipo Tortuga. Se intentaba esconder de todos.

Afortunadamente, empezamos la terapia antes de que tuviese la oportunidad de crearse un caparazón y estaba preparado y desesperado por aprender a decir «no». Iniciamos la Autocharla y no tuvo problemas en ver cómo su Niño Inseguro (también llamado «Quejica» con su permiso) empezaba a asustarse cuando alguien le pedía algo. «Tiene razón, me siento como un niño que tiene miedo a decir algo incorrecto porque se meterá en líos.» Matt tenía que asimilar que porque su Niño Inseguro no dijese «no», no quería decir que él no pudiese decir «sí». Si bien se sentía aterrado ante la idea de dejar de ser un Diplomático, la noción de hacer lo que le apetecía le atraía.

Hicimos juegos de rol en los que yo actuaba como si fuese distintas personas que en diversas circunstancias le pedían algo. Yo pretendía que escuchase a su ser maduro y saludable en vez de hacer caso a su Niño Inseguro y Matt disfrutó con este ejercicio. En un entorno en el que no había riesgos, decir «no» no le pareció tan raro ni difícil cuando se acostumbró un poco. Eso sí, nunca podía evitar sonreír cuando me decía «no, lo siento, no puedo ir contigo este fin de semana». Sonreía porque le encantaba cómo se sentía cuando decía lo que quería. Intentar seguir su personalidad sana tuvo un efecto liberador y energético sobre él. Acabamos la sesión con la esperanza de poner en práctica lo aprendido.

No tuvimos que esperar mucho, ya que esa misma noche, después de nuestra terapia, Matt se sentó en el comedor con su mujer, cuando su hermana les llamó por teléfono para invitarles al recital de piano de su hija el sábado. No se trataba de un reto fácil, pero Matt se sintió animado para probar.

Había estado esperando a que llegase el fin de semana para jugar a golf con un viejo amigo y no quería estar rígido en el auditorio mirando continuamente el reloj (Matt no era precisamente un aficionado a Beethoven o Mozart). Así que apartó a su Niño Inseguro, que intentaba exclamar: «Sí, claro, Sis, allí estaremos», respiró hondo y se obligó a decir: «Lo siento, Sis, pero ya he hecho planes que no puedo cambiar». Lo que vino fue también difícil para Matt porque tenía que seguir luchando para apaciguar la necesidad del Niño Inseguro de cambiar el rechazo con un «Bueno, quizás sí que pueda arreglarlo, ya te diré algo». Se aferró a sus palabras anteriores y se produjo un momento de silencio. Su hermana, un poco sorprendida por el rechazo (Matt nunca antes había dicho que no a nada), dijo que lo entendía y colgó.

Matt sintió sensaciones mezcladas. Estaba contento porque iba a hacer lo que le apetecía el sábado y porque no tendría que soportar esa audición, pero también tenía miedo. Cuando tratamos el miedo en la siguiente sesión, Matt se dio cuenta de que no estaba acostumbrado a sentirse fuera de control. Al rechazar la invitación de su hermana, se había sentido vulnerable a su enfado o resentimiento. Cuando era Diplomático, siempre se libraba de sentir vulnerabilidad, así que tuvo que seguir practicando la Autocharla para darse cuenta de que la vulnerabilidad era sólo un hábito sin ningún buen propósito.

A medida que Matt continuó con su práctica de «decir no», necesitó hacer algo para apaciguar su ansiedad. Le resultaba muy difícil confiar en que realmente podía ser una persona mucho más segura. Al principio, decir no le dejaba un sabor agridulce, puesto que se sentía liberado, pero sentía ansiedad por ser vulnerable. No había ninguna razón objetiva para la inseguridad de Matt y su ansiedad y pánico sólo eran ecos de una escaramuza pasada con sus padres, ecos que seguían resurgiendo en su vida adulta.

Al principio de la terapia, una de las cosas que le preocupaban a Matt era que se estaba centrando mucho en sus molestias y malestar. En vez de trabajar más directamente con su Niño Inseguro, le preocupaba esto: «No sé, no estoy seguro de que esto funcione. No me he sentido muy bien por dentro. Creo que estoy empeorando. No me debería sentir así, debería sentirme mejor. ¿Qué me pasa? ¿Por qué me preocupo tanto por esto?»

Le dije que debía tratar sus síntomas como si fuesen los de un resfriado (nariz congestionada, dolor de garganta y dolor de cabeza). Sin duda son incómodos, pero no son graves ni hay que preocuparse por ellos. «Cuando se tiene un resfriado, cuanto menos se centre uno en los síntomas, mejor se sentirá. A veces, uno incluso olvida que está enfermo. Pues lo mismo ocurre con la ansiedad. Cuanto más se centre en los síntomas, más nervioso se pondrá. Acepte los síntomas tal y como aceptaría una nariz congestionada. Olvídese de ellos y céntrese en trabajar con su Niño Inseguro, ya que eso es lo que importa.»

El progreso de Matt fue constante y sin problemas. Trabajó duro y acabó dominando a Quejica. Cuando se liberó de su hábito de inseguridad y vio que no tenía que complacer a todo el mundo, empezó a cuidarse a sí mismo y a vivir una vida más sencilla, honesta y, sobre todo, natural. También comprobó que decir «no» y defenderse ante el mundo no le convertía en una mala persona. Seguía siendo una persona valiosa y buena. Los Diplomáticos no entienden esta simple verdad. Siempre están escondiendo lo que observan como deseos inaceptables.

Sugerencia para la preparación

Cuesta detectar las tendencias de los Camaleones porque se protegen por una piel de raciocinio y negación. Si es necesario, vuelva a leer los apartados del Estafador, el Político y el Diplomático y sea lo más objetivo posible. Si puede que usted manifieste tendencias camaleónicas, puede serle útil pedirle opinión a los demás, ya sea su pareja, un amigo o un familiar. A veces, conductas concretas que reflejan pautas de hábitos, como decir «sí» cuando queremos decir «no», pueden indicar una tendencia camaleónica.

Estas tendencias suelen ser difíciles de evaluar de forma objetiva. Intente (a) aislar las tendencias concretas camaleónicas, (b) decidir subjetivamente con qué frecuencia se dan (emplee la siguiente escala) y (c) evalúe periódicamente estas tendencias para comprobar su progresión con la Autopreparación.

Escala de frecuencia camaleónica

Nunca				A veces				A menudo	
1	2	3	4	5	6	7	8	9	10

16

Autopreparación para Perfeccionistas

Empiece evaluando su nivel de perfeccionismo. Responda cada pregunta según considere que es esencialmente verdadera o falsa.

V   F   Haga lo que haga, tiene que hacerse bien:

V   F   No soporto estar enfermo.

V   F   Tengo que dar una buena imagen.

V   F   Siento ansiedad cuando las cosas no van bien.

V   F   Suelo tener la razón.

V   F   Los detalles son una parte muy importante de la vida.

V   F   Me han llamado un obsesionado del control.

V   F   Odio cuando las cosas no están en su sitio.

V   F   Si quiere hacer una tarea bien, la tiene que hacer usted solo.

V   F   Me cuesta ser puntual.

V   F   Tengo que ganar.

V   F   No me gusta dejar que alguien conduzca mi coche.

V   F   Suelo pasar mucho tiempo para hacer algo.

V   F   Nunca bajo la guardia.

V   F   No tolero los errores (ni los míos ni los de los demás).

V   F   Soy muy quisquilloso cuando me estoy arreglando para salir.

V   F   Me han acusado de ser demasiado ordenado y pulcro (o fanático u obsesivo).

V   F   Me han dicho que soy demasiado estricto.

V   F   Cuando me comprometo a algo, lo hago al 100%.

V   F   Soy más intelectual que emocional.

Si ha obtenido un marcador de 16 a 20 respuestas verdaderas quiere decir que usted tiene, sin lugar a dudas, tendencias perfeccionistas y necesita reconocer la importancia de evitar que este estilo peculiar de defensa persista sin la intervención de la Autopreparación. Un resultado de 11 a 15 respuestas verdaderas sugiere una tendencia moderada hacia el perfeccionismo. Sea consciente de las advertencias de este capítulo y no permita que se creen conductas más rígidas o compulsivas. Un marcador de 6 a 10 respuestas verdaderas indica pocas tendencias notables hacia el perfeccionismo. Sin embargo, puede que esté predispuesto a lanzar defensas perfeccionistas de vez en cuando si se enfrenta al estrés. Un marcador de 5 o menos respuestas muestra que no hay tendencias perfeccionistas significativas. En este caso, continúe manteniendo sus tendencias naturales para tratar, en vez de controlar, las exigencias de la vida.

De todo, menos mediocre

Hay tres tipos de Perfeccionistas: la Estrella, el Fanático y el Obsesivo del Control, pero todos tienen algo en común: creen que si uno está dispuesto a trabajar duro puede acabar con sus vulnerabilidades. La lógica es sencilla: si usted y lo que hace es perfecto, nadie podrá encontrar errores y, por lo tanto, nadie podrá herirle. Siempre y cuando tenga todo controlado no habrá ningún problema.

El Perfeccionismo no es un rasgo de personalidad que se encuentre en los perezosos o en las personas poco motivadas, ya que es un trabajo a tiempo completo que requiere pleno compromiso. Si definíamos a los Erizos por su hostilidad y a las Tortugas por su aislamiento, los Perfeccionistas pueden definirse por sus altos parámetros autoimpuestos y sus esfuerzos incesantes. Tanto si se trata de limpiar un armario, de hacer un examen o de influir en la opinión de alguien, los Perfeccionistas no tienen elección: tienen que hacerlo de forma intachable siempre.

Los perfeccionistas también padecen aires de superioridad. Está bien que otro haya llegado el segundo, haya sacado un aprobado en un examen o ignore las manchas que lleva en la blusa, pero ellos no. No hay flexibilidad, tienen que ser los primeros, los mejores e inmaculados. Los Perfeccionistas veneran su forma de vida compulsiva porque la contemplan como una llamada superior. Son personas elitistas que maldicen la mediocridad. Si quiere ver cómo se enrabia un Perfeccionista, llámele «mediocre» y esa palabra de repente desatará la ansiedad o la depresión y acabará con esfuerzos fanáticos para darle la vuelta a ese estigma detestable. «¿Mediocre yo? ¡Nunca!» Para los Perfeccionistas, ganar es lo único que importa. La vida es un esfuerzo compulsivo dirigido por una visión en túnel en blanco y negro.

Ellos sólo conocen una felicidad, la definida por la filosofía de una forma de vida intachable para asegurarse el control y el dominio. Hay un poco de verdad en esa percepción, pero también tiene un lado negativo. Una vez se empieza a creer que una vida perfecta e intachable le alejará de la vulnerabilidad y la inseguridad, acabará sin elección: o es perfecto o sufrirá. No hay ninguna diferencia con cualquier otra dependencia o adicción (el alcohol, las drogas, apostar, gastar dinero, comer en exceso, etc.). Cuando se confía en factores externos para sentirse mejor, inconscientemente se crea una mentalidad de *obligaciones*. Al igual que la adicción a las drogas, el perfeccionismo le limitará a una visión reducida de la realidad.

Para el resto del mundo, los Perfeccionistas suelen parecer perfectos. Sus casas están inmaculadas, los coches están siempre limpios, visten de forma impecable, nunca les falta dinero ni energía y, sobre todo las Estrellas, son vencedores y líderes. Hagan lo que hagan, nunca les falta energía ni esfuerzo. Para los Perfeccionistas «No hay montaña lo suficientemente alta» y nos pueden parecer superhumanos. Y ¿por qué no? Suelen hacer en un día más de lo que la mayoría de la gente hace en una semana, por lo que parece que los demás seamos perezosos o inefectivos si nos comparamos. No se engañe por la serie de logros de los Perfeccionistas y ya verá por qué.

Perfectamente triste

La clave para entender el lado oscuro del perfeccionismo es comprender que éste no lucha por la perfección, sino por evitar la imperfección y ahí es donde reside el problema y para muchos la maldición. Un pelo fuera de su sitio, un error de ortografía en un informe o una pequeña mancha en la cubertería pueden generar una intensa ansiedad. Es una vida llena de un estrés negativo, siempre alerta, siempre controlando todo y sin permitirse un error. Vivir con la intensidad del perfeccionismo significa vivir con ansiedad y presión.

Si usted es un Perfeccionista, tiene una forma de vida aprehensiva que merma su disfrute y deja que se instaure la depresión. Por desgracia, como sucede con todas las estrategias de control, cuanta más ansiedad y depresión sienta, más probabilidades tendrá de intensificar sus esfuerzos controladores. El círculo del control, tal y como hemos mostrado con las estrategias de defensa anteriores, se vuelve una espiral viciosa:

Sentirse fuera de control → luchar por el perfeccionismo →
mantener el perfeccionismo crea ansiedad o depresión →
la ansiedad y la depresión producen pérdida de control → se intensifica
la lucha por el control → se intensifican los sentimientos de fuera de control

Cuando quedan atrapados en los círculos del control, los Perfeccionistas que buscan terapia no quieren liberarse de las tendencias perfeccionistas de su Niño Inseguro. Lo que quieren es convertirse en mejores perfeccionistas y perfectos neuróticos. Sólo vienen buscando un poco de aceite para su defensa, pero no pretenden abandonarla. A los Perfeccionistas les cuesta mucho creer que la perfección no es la respuesta. De hecho, durante la terapia quieren ser pacientes perfectos y traen libretas, apuntan notas, piden deberes, escriben sus sueños y no les gusta marcharse cuando se acaba la hora. Los Perfeccionistas, sobre todo las Estrellas, quieren convertirse en el paciente favorito y quieren que uno deje de lado al resto de los pacientes para apreciar lo maravillosos que son como personas y lo fantásticos que son sus problemas.

Reflexión respecto a la Autopreparación

El perfeccionismo no es un deseo de perfección,
sino un deseo de evitar la imperfección.

Filosóficamente hablando, ¿por qué debería ser un problema luchar por conseguir un objetivo tan noble y loable como la perfección? La respuesta es simple: la naturaleza abomina la perfección, al menos tal y como los Perfeccionistas la definen. Aunque a los Perfeccionistas les gusta creer que están persiguiendo un elevado ideal estético, en realidad, sólo están buscando una herramienta con una aplicación mundana, el control. No hay duda que es este espejismo exaltado de control completo y perfecto el que atrae a tanta gente. Sabemos cómo se siente uno cuando deja el cuarto impecable o cuando hace esa cena perfecta o cae tan bien a la gente. Uno se siente por encima de todo, satisfecho y realizado. Es normal disfrutar del éxito y entusiasmarse cuando las cosas salen bien.

No obstante, cuando uno tiene tendencia al perfeccionismo no se sorprende por el éxito, puesto que cree que la suerte es algo que uno se crea. El enfoque ante cualquier tarea es que *tiene que hacerlo perfecto*. Las flores deben disponerse así, el postre debe derretírsele a uno en la boca, la ropa debe estar inmaculada. Todo esto son exigencias. No lo malinterprete porque no es trabajo para los Perfeccionistas, ya que saben disfrutar el éxito, pese a ser un momento de gloria fugaz. Sin embargo, enseguida tienen otro reto llamando a la puerta y otro y otro.

No es oro todo lo que reluce

En términos generales, los Perfeccionistas suelen alcanzar el éxito, ya que por sus numerosos logros suelen ser admirados e incluso envidiados por los demás. Cuando estaba haciendo un posgrado, mi mujer y yo nos hicimos amigos de una pareja que sólo podía describirse como la «superpareja». Tanto el hombre como la mujer eran unos Perfeccionistas y sus vidas parecían extraordinarias. Además de tener tres hijos, tenían una casa inmaculada, coches siempre limpios, árboles siempre en flor, el césped recién cortado y (mi envidia) un garaje en el que cada tornillo y cada llave estaban colgados en su lugar y etiquetados. El marido, que tenía una importante posición en la universidad, no sé cómo se las apañaba para ver todos los partidos deportivos que se disputaban y para asistir a cualquier conferencia entre padres y profesores. La mujer, que trabajaba a jornada parcial, era una madre perfecta, presidenta de la Asociación de Padres de Alumnos durante tres años consecutivos, increíble cocinera y cinturón negro de kárate. Las vidas de mi mujer y mía palidecían con las comparaciones.

Parecía que la superpareja poseía una energía y capacidad fuera de nuestro alcance. Durante años, y años después de perder el contacto con ellos, mi mujer y yo nos lamentamos de vez en cuando por llevar unas vidas tan desordenadas y por no ser más parecidos a la superpareja. Mi garaje (todavía hoy) es muy caótico, nuestro jardín está cubierto de malas hierbas y nuestra casa casi nunca está impecable. Durante muchos años asumimos que era porque nos faltaba motivación, por ser menos perfectos.

Ahora mi mujer y yo hemos madurado y hemos adoptado una perspectiva diferente respecto a nuestros defectos. Nuestra epifanía llegó hace algunos años, cuando terminé el posgrado y nos mudamos a otra población. Un día recibí una llamada de una de las hijas adolescentes de nuestros «superamigos» pidiéndome ayuda. Parecía que su padre, nuestro amigo, había estado bebiendo mucho últimamente y la mujer se había sumido en una depresión. Hablé con el marido y admitió que tanto él como su mujer estaban quemados y que no querían volver a estar juntos.

Parecían tan perfectos, pero el mantener su espejismo de perfección requirió demasiado de ellos. Eran perfectos, pero se cansaron de ser perfectos. Sí, es posible mantener el espejismo de la perfección, del éxito, de la competencia o de la omnipotencia si lo desea, pero se necesita mucho esfuerzo, vigilancia, mantenimiento, tenacidad, miedo, compulsión, estrés y dedicación completa (24 horas al día siete días a la semana). ¿Está seguro de que merece la pena?

Lo que puede resultar confuso es que, además de estar convencido de que puede tenerse todo, uno demuestra una y otra vez que puede ser así. Total, ¿qué supone un pequeño esfuerzo? Esta conclusión es muy peligrosa porque mantener estos esfuerzos innaturales (por ejemplo, vivir de forma intachable) acabará haciendo que se enfrente cara a cara a una realidad más importante: nunca se puede ser feliz si uno no es perfecto. Así, empezará a vivir en un mundo de terror en el que un fallo, un paso en falso o un tropezón le provocará depresión y ansiedad, reclamándole el trono. No es natural vivir con tantas exigencias. En vez de centrarse en ser perfecto, debería preguntarse por qué necesita ser tan perfecto. Si ser imperfecto le crea ansiedad, sospeche que su vida está gobernada por su Niño Inseguro.

Tres expresiones de perfección

Los Perfeccionistas pueden clasificarse en tres grandes grupos: las Estrellas, los Fanáticos y los Obsesionados con el control. Cada uno de ellos se comporta con un estilo perfeccionista concreto, pero tienen en común su pensamiento en blanco y negro, su visión en túnel y su inflexibilidad. Por esta similaridad, a menudo hay solapamiento entre grupos, pero también hay diferencias interesantes:

La Estrella

Las Estrellas quieren una cosa: que les aplaudan. Si las personas se sienten impresionadas con uno (y con lo que hace) no le harán daño. Esto es control. La Estrella está convencida de que todo el mundo adora a los ganadores y suelen ostentar posiciones importantes. Son líderes típicos que intentan impresionar al mundo.

El Fanático

Los Fanáticos son lo que se nos ocurre cuando pensamos en perfeccionistas clásicos. Pueden disfrutar del aplauso de los demás, pero a diferencia de la Estrella, la aprobación es sólo un objetivo secundario. Para ellos, la meta principal es superar la vulnerabilidad mediante la eliminación de todos los defectos (si alguien aplaude sus esfuerzos es un regalo extra, pero no es esencial). Los Fanáticos son personas obsesivas y compulsivas en algunos o en todos los aspectos de la vida como tener los armarios intactos, los coches inmaculados o su apariencia física perfecta. En cambio, a veces también se obsesionan con sus logros, *hobbies*, religiones o ejercicio físico. Son personas que suelen excederse en todo y no saben hacer las cosas de otra forma.

El obsesionado con el control

Las personas Obsesionadas con el control se diferencian de las Estrellas y los Fanáticos en que son indiferentes a la condición social. Mientras que las Estrellas insisten en ganarse la aclamación de los demás y los Fanáticos (casi siempre) se obsesionan con su imagen y con lo que pensarán los demás de ellos, los Obsesionados del control sólo se preocupan por el control absoluto, pero les da igual gustar o no a los demás. Tanto si se trata de controlar a otras personas, cosas o acontecimientos, el Obsesionado del control no deja nada al azar. Todo debe estar milimetrado.

La Estrella

Las Estrellas son líderes, presidentes de clubes y organizaciones, personas con papeles importantes y que se arriesgan. Trabajan duro para seguir manteniendo los focos sobre ellos y, mientras encuentren a alguien que les aplauda, ya están contentos. Puesto que la Estrella cree que «todo el mundo adora a los ganadores», está enfocada hacia el éxito a cualquier coste. El perder el rumbo y ser uno más o pasar desapercibido es para ellos una pérdida terrible de control que sólo está a un paso del olvido o el rechazo. El Niño Inseguro de las Estrellas tiene una autoimagen de sí mismo muy frágil que tiene que ser resaltada constantemente por la admiración de todos.

A veces el perfeccionismo de la Estrella es difuso y difícil de detectar. Gary se quedó perplejo al oír que sus esfuerzos de Estrella le estaban perjudicando. Gary, un hombre de veinticuatro años con el que trabajé, tenía la siguiente lista (abreviada) de logros: «No sé cómo no causo mejor impresión en las mujeres porque soy licenciado, sé tocar el piano y la trompeta, leo mucho, tengo un buen trabajo, soy deportista, me gusta la fotografía y el arte, también escribo... ¿Qué hay de malo en mí? Creo que soy un buen partido. Incluso estoy pensando en volver a la universidad». Gary intentaba abarcarlo todo. Quería ser la persona perfecta porque su Niño Inseguro le había convencido de que cuanto más consiguiese, más irresistible sería.

Lo que Gary necesitaba no era más educación universitaria ni más logros, sino la Autopreparación. En primer lugar, necesitaba dejar de escuchar a su insistente Niño Inseguro que le decía que para que le apreciasen, le quisiesen y le valorasen tenía que ser mejor que los demás. Según el Niño Inseguro de Gary la ecuación era sencilla: cuanto más te admiren, mejor serás. Si eres mejor que los demás, entonces estás controlando lo que la gente pensará de ti. A + B = C, donde C, por supuesto, es el control.

Utilizando la parte de «llegar hasta el final» del programa de preparación, Gary enseguida dio en el punto clave. En sus propias palabras «Tengo un complejo de "pequeño hombre"». Aunque esta confesión no provenía de lo más hondo de su ser, aun así seguía costándole mucho discutir este tema. De hecho, parecía que actuaba como quien confiesa un asesinato, porque había sido el secreto oscuro de Gary durante muchos años.

«Todo el mundo cree que soy la persona más segura y positiva del mundo», dijo. «Nunca se creerían lo confundido que estoy.» Parecía que había hecho un pacto con el demonio: «Déjame ser una Estrella y entonces la gente no se dará cuenta de mis defectos». Su Niño Inseguro estaba atrapado en una lucha adolescente de poder, potencia y virilidad. Puesto que estaba condenado a ser un «hombrecito», hiciese lo que hiciese nunca sería (ni podría ser) un hombre. Esta era la pena de muerte de Gary y la causa de su depresión.

Cuando empezó el programa de Autopreparación, no tuvo que irse muy lejos para descubrir la influencia de su Niño Inseguro, ya que siempre se encontraba defectos o intentaba hacerse daño. Su Niño le ofrecía una oportunidad perfecta para practicar lo aprendido. Si, por ejemplo, alguien era simpático con Gary, le mostraba respeto o aplaudía sus logros, en vez de sentirse halagado, el Niño Inseguro de Gary le provocaba ansiedad, ya que ese éxito era temporal y no podía dormirse en los laureles.

Gary estaba dentro de un círculo vicioso, impulsado por la creencia de que a menos que mantuviese su fantástico rendimiento, se veía minimizado por los demás. Una vez, al principio del programa, le pregunté qué había de malo en tener defectos. Gary, reaccionando como si su Niño Inseguro le hubiese dado un puñetazo en el estómago, exclamó: «Pues que eres sólo un medio hombre». Casi salto de la silla: «¡Eso es absurdo! Ahora sí que estás actuando como un medio hombre dejando que el Niño se salga con la suya. ¡Ya basta! Es hora de ser un hombre de verdad».

Gary no tuvo problemas para reconocer que había sido un enclenque, ya que cuando su Niño Inseguro hablaba, él asentía con la cabeza y «aceptaba su destino». Con el tiempo cayó en la cuenta que estaba aceptando la noción de «hombrecillo» de su Niño sin quejarse, así que intentó motivarse recordando las palabras «¡Ya basta!». Se sentía cautivado por la noción de poder luchar contra su Niño Inseguro con el fin de sentirse bien consigo mismo. Cuidado porque he dicho cautivado, que no es lo mismo que convencido. Tuvo que poner una gran resistencia a su Niño, que pataleó, gritó y chilló durante semanas. Cuanto más se entrenaba Gary con la Autocharla, más inseguro se mostraba su Niño. «No puedo cambiar. ¿A quién quiero engañar? Nada va a cambiar el hecho de que sea un miedica inseguro. No existe ninguna terapia en el mundo que pueda cambiar mi conducta.»

Sin embargo, Gary empezó a desarrollar poco a poco músculo para presentarle una barrera a su Niño Inseguro, que siempre quería decir la última palabra. En una página de su diario de preparación, escribió: «No soy yo. Es mi Niño el que me hace sentir así. Creo que ahora lo entiendo. De mí depende el seguir así y seguir odiándome o luchar. ¡Elijo luchar! ¡Sí! Tengo que demostrarle que soy más fuerte que él. Parece tan estúpido cuando lo escribo, pero tengo que demostrarle que he crecido y que ahora soy un hombre. Creo que si pudiese decir "soy un hombre. He crecido" y me lo creyese estaría curado».

Era un imperativo que Gary siguiese siendo duro con su Niño Inseguro. Normalmente el Niño Inseguro intensificaba su sabotaje cuando veía que su vida estaba en peligro. Así, Gary se daba cuenta que era una indicación de que le estaba amenazando y controlando. Le animé, diciéndole: «No tienes nada que perder, excepto tu inseguridad». Y él no se dio por vencido, trabajando su motivación y desarrollando su propio eslogan de charla de ánimo «No necesito ser más alto, necesito crecer». Utilizaba esta afirmación cada vez que estaba cara a cara con su Niño Inseguro.

El estilo de vida perfeccionista de Gary era un intento para ocultar su inseguridad. La verdad era simple: No tengo que ser perfecto, tengo que ser una persona más segura. No se trataba de seguridad exterior, como la que se consigue con logros, sino interior. «No necesito ser más alto, necesito crecer.» No existía ninguna razón racional por la que tenía que seguir mirando el mundo con los ojos de un adolescente Niño Inseguro.

Reflexión respecto a la Autopreparación

Es útil intentar determinar la edad del Niño Inseguro.
Si por ejemplo tiene una actitud de berrinches
podría ser un niño muy pequeño, de dos o tres años:
«No. Déjame en paz, no voy a hablar.»
Una pista de que estamos tratando con un niño Adolescente
es una gran preocupación por el físico, ya que durante la adolescencia
el atractivo físico es lo más importante y muchos adolescentes
se obsesionan con su cuerpo.

El Fanático

Los Fanáticos son los Perfeccionistas típicos. Pueden ser fanáticos de cualquier cosa; la ropa, el trabajo, ir de compras, comer, limpiar, hacer ejercicio y un largo etcétera. Personalmente conocí a un fanático en un centro de astronomía para entusiastas de esta ciencia. El centro también organiza jornadas de puertas abiertas en las que cualquier persona, pese a no ser socio, puede disfrutar de las estrellas. La primera vez que asistí me quedé fascinado a ver cómo el hombre de al lado montaba su equipo. Tenía un telescopio equipado con un trípode reforzado, con una protección frente al agua, juntas, cámaras, filtros contra la contaminación de la luz, tablas de las estrellas e incluso un programa de ayuda informática. Llevaba unos calcetines provistos de una batería, guantes y una cinta para la cabeza que tenía una luz para ver por la noche. Una mesa de cartón y una silla fue lo último que completó su equipo. Amablemente me dijo que era un fanático de su telescopio.

Quizás usted también haya conocido fanáticos en el gimnasio, en alguna asociación o en el trabajo. Quizás haya estado en sus casas y haya visto sus maquetas perfectas o los muebles que hacen. Como le ocurrió a la superpareja que mi mujer y yo conocimos, la perfección puede requerir un enorme desgaste de recursos. Como atleta, quizás crea que está en una excelente forma física durante los primeros kilómetros, pero tendrá que resistir mucho más y puede que no pueda aguantar el ritmo sin graves consecuencias.

Jack era un paciente que tuve que padecía ansiedad y depresión y que luchaba para mantener su estilo de vida sano. Se negaba a aceptar que su cuerpo de cincuenta años iba a envejecer, las carnes se iban a quedar flojas o cualquier otra manifestación normal del envejecimiento daría lugar. Tenía una cintura de 81 cm y fardaba de no haber tenido un resfriado en dos años, por lo que creía que, en su caso, envejecer era sólo un «mito». Levantaba pesas, corría cada mañana y era un adicto a la tienda de naturopatía de su vecindario. También era un chef de excepción que preparaba deliciosos platos de *tofu*, exquisitas bebidas de verduras y vegetales orgánicos dignos de ser servidos en un restaurante de lujo. Lo que ocurría es que Jack era un fanático de su salud.

Cuando tenía que seguir su estricto horario, Jack se sentía fenomenal. El problema que le trajo a mi consulta fue que su mujer, sus hijos, su jefe, las facturas y las obligaciones competían con su ambición para ser siempre joven. Jack nunca tenía tiempo suficiente. Nunca se podía permitir tomarse la tarde libre o salir hasta tarde y nadie entendía su frustración. Por eso, empezó a sentir ansiedad y, tras un par de ataques de pánico, decidió ponerse en contacto conmigo.

El problema fue que, en vez de intentar sobrellevar como podía la situación para reducir la ansiedad, Jack iba añadiendo cada vez más cosas en su agenda. Por ejemplo, antes de nuestra primera sesión decidió que la flexibilidad era una fuente esencial de salud e inmediatamente se apuntó a clases de yoga (a las que iba después de la clase de ejercicios en el gimnasio). Jack era un fanático obsesionado con el control. No podía tolerar que el paso del tiempo hiciese mella en su cuerpo.

Jack murió de un tumor cerebral, pero hubo un consuelo en esta tragedia. Durante los meses previos a su muerte, se dio cuenta de la locura que estaba haciendo con su vida. Podía haber seguido siendo un fanático porque hubo un momento en el que incluso pensó en volar a México para someterse a una cura exótica de cáncer, pero recapacitó y decidió aprovechar al máximo el tiempo que le quedaba con su familia y amigos.

No puedo decir que Jack murió siendo un hombre feliz, pero murió de forma valiente. El Perfeccionismo le había hecho desperdiciar la mayor parte de su vida y antes de morir aprendió que en la vida todo no era cuestión de control, sino de seguir hacia delante.

El Obsesionado con el control

Los Obsesionados del control se reconocen fácilmente porque siempre están dirigiendo, organizando, dentro del meollo de todo el mundo y todo el mundo cree que son unos pesados.

Clair es una obsesionada con el control que acabó acudiendo a mi consulta por los continuos enfrentamientos que tenía con su hijo adolescente. Tony, de 16 años, se quejaba así de su madre:

«Se niega a darme el espacio que necesito. No tengo intimidad. ¿Qué hay de malo en querer cerrar la puerta de mi habitación? ¿Qué cree que voy a hacer? Nunca me he metido en líos, no fumo y no me drogo. ¿Por qué siempre está sospechando? Siempre la tengo pisándome los talones. Haga lo que haga, ella siempre tiene que corregirme. Tiene que saber dónde estoy, con quién estoy y qué estoy haciendo. Como se me olvide llamar a casa ya la he liado. Si llego cinco minutos más tarde de la hora establecida, me castiga durante dos meses por lo menos. Insiste en que tiene el derecho de mirar mis cosas, leer mis notas y mi correo e incluso quiere saber mi contraseña del ordenador. No soy estúpido. Sé que los padres tienen que controlar a sus hijos, pero ¡ella se pasa!»

Clair, después de morderse la lengua durante un rato, explotó:

«Mira, eres un niño y yo soy tu madre. Si digo que la puerta tiene que quedarse abierta tiene que quedarse abierta y punto. No necesito darte ninguna razón. ¿De quién es la casa? Y no pienses que eres perfecto porque tienes una actitud que apesta. No eres responsable de tus obligaciones y entorpeces el funcionamiento de la casa.»

Clair estaba siendo muy dura con su hijo, pero no sólo se limitaba a ejercer control sobre él. Ella se había divorciado del padre de Tony porque, tal y como me dijo en una entrevista anterior, él no podía soportar que ella lo controlase todo. Me puse en contacto con el tutor de Tony; me comentó (de forma extraacadémica) lo imposible que era la madre de Tony. Dijo que siempre se estaba quejando, que quería saberlo todo y que causaba bastantes problemas. Una vez, por no haber recibido una llamada del tutor, llamó al director y solicitó una disculpa formal.

En un principio, Clair era como una piedra, si bien era consciente de una percepción retorcida: «Sé que probablemente es neurosis, pero creo que si me relajo un poco con Tony le voy a perder». Estaba aterrorizada por el pensamiento de que cayese en las drogas o en el alcohol y era un pensamiento constante que no tenía ningún fundamento en la conducta de Tony, sino en su Niña Insegura. Nunca se le pasó por la cabeza lo frustrante que era para Tony todo esto y que probablemente ella fomentaría que su terrible profecía se hiciese realidad. Tampoco se le ocurrió nunca que su matrimonio, los problemas de Tony en el colegio o sus amistades sufriesen por la terrible presión de sus exigencias constantes.

Avanzamos un poco cuando Clair admitió que le daba la sensación de estar perdiendo a Tony. Este era su talón de Aquiles, que logró apartar su arrogancia y creó un tipo de ansiedad distinto. Clair estaba acostumbrada a sentir ansiedad la mayor parte del tiempo, pero esta vez era distinto porque sus exigencias causaban conflictos. Perder a Tony era diferente. Fue una de las pocas veces que se sintió indefensa porque normalmente lo controlaba todo y a todos. A quien no pudiese controlar lo eliminaba del mapa (como a su marido, al tutor de Tony...). Ahora estaba de nuevo contra la espada y la pared. No podía controlar a Tony y no podía soportar el pensamiento de perderle. Al final, humillada por su ansiedad, se dio cuenta de que tenía que cambiar.

Clair y yo trabajamos varias sesiones sin Tony. Ella reconoció que bajo los miedos y dudas sobre Tony subyacía un profundo sentimiento de inseguridad que se remontaba a su primera infancia. Al haber crecido con un padre alcohólico que siempre estaba amenazando con el divorcio y el abandono, Clair se aferró a cualquier oportunidad para ganar control. Tenía que hacer algo y empezó a encargarse de todo. Desde niña desarrolló un carácter mandón, agresivo y corto de miras, pero funcionó. Antes se sentía indefensa y débil y ahora se sentía fuerte, poderosa e insensible. Su lema era: «No intentéis jugar conmigo».

Al percatarse de la relación entre su vulnerabilidad pasada y su obsesión presente con el control, adoptó una actitud mucho más positiva frente a la Autopreparación. Para estar realmente segura sabía que tenía que arriesgarse y dar rienda suelta a su vida. La seguridad, tal y como Clair comprendió, empieza con una predisposición a creer en uno mismo. Sí, necesitó esfuerzo, pero acabó apreciando lo que serían obstáculos si no hubiese hecho el esfuerzo.

Reflexión respecto a la Autopreparación

Una predisposición para creer en uno mismo
fomenta la curación y la seguridad.

Los esfuerzos de Clair para aplicar la Autopreparación fueron acogidos con entusiasmo por Tony. La vida familiar enseguida mejoró y, pese a que ella daba tropezones de vez en cuando, Tony sabía que lo estaba intentando y eso ya bastaba. Además, pronto Clair mejoró mucho.

Saber diferenciar el «querer» del «tener que»

Si sospecha que su Niño Inseguro le está llevando a un estilo de vida perfeccionista, es hora de tener una charla seria. ¿Cómo puede saber si su deseo para cantar en el coro, para decorar su habitación o para correr una maratón está guiado por una ambición legítima o neurótica? Para poder hacer esta distinción, necesitará aprender a distinguir entre su «querer» hacer algo y «tener que» hacer algo. Esta diferencia básica puede obtenerse por lo siguiente:

- El «querer» está guiado por un deseo de autosatisfacción y no tiene demasiado que ver con razones posteriores guiadas por el control.

- Los «tener que» están guiados por la inseguridad. Son intentos compulsivos y estrictos para utilizar lo que hace como medio para conseguir mayor control.

Si lo que usted desea está impulsado por un deseo legítimo y sincero, se puede decir que es un «querer». Si, por el contrario, su Niño Inseguro tiene algo que ver, será un sentimiento más compulsivo, un «tener que». El «querer» hacer algo puede ser una experiencia intensa y apasionada, pero no será perfeccionista porque el motivo final no es el control. Tendrá que decidir: «¿Predomina el "querer" o el "tener que"?».

No se sorprenda al principio si ambos le parecen idénticos. Puede que se oiga a sí misma decir: «*Quiero* que mi casa esté inmaculada». Sin embargo, examinando la frase detenidamente, puede detectar a su Niño Inseguro convenciéndole de que su casa debe estar limpísima, así que no puede relajarse ni disfrutar con la tarea o, peor aún, puede que se mortifique por no ser perfecto. En este caso, la verdad será que para sentirse con el control *tendrá* que tener la casa inmaculada. Sea paciente y emplee todas las herramientas de la Autopreparación para diferenciar si predomina el «querer» o el «tener que» a la hora de realizar una actividad.

La relación de amor-odio de Larry y su BMW

Mi amigo Larry está llegando a la cima del entendimiento de su dilema «tener que»/«querer». Él es un fanático y lo reconoce. Es bastante normal verle lavar y encerar su BMW a diario. Tiene un cepillo hecho con pelo de camello para limpiar los listones del aire acondicionado y se enfada cuando tiene que utilizar el coche porque va a manchar las alfombras recién aspiradas. Sabe que es un fanático de su coche, pero le encanta el proceso. ¿Es un «querer» o «tener que»?

Para Larry son los dos.

Siempre le han encantado los coches y disfruta con cada aspecto de cuidar el suyo. Hasta ahora se trata de un aspecto «querer», ya que le aporta autosatisfacción sin ningún otro motivo. No obstante, los «querer» de Larry cruzan la línea y se convierten en «tener que» cuando el control se filtra en este panorama. Mantener el coche perfecto, no permitir que le salpique el barro ni que nadie pise la alfombra es excesivo y rígido (por lo tanto, perfeccionista). Cuando, debido a un poco de barro, el amor puede pasar a odio (pensamiento en blanco y negro), ya no estamos hablando de diversión, sino de control compulsivo.

¿Es usted demasiado estricto? ¿Trabaja demasiado debido a razones equivocadas? ¿Empieza a transformarse su «querer» en «tener que? ¿Se ha convertido su vida ya en una sentencia de vida? ¿Qué es lo que espera?

Sugerencia para la preparación

En la columna de la izquierda de la tabla que exponemos a continuación, bajo el epígrafe Tendencias perfeccionistas, liste cualquier tendencia de Estrella, Fanático u Obsesionado con el control que pueda reconocer. A continuación, utilizando la escala de la derecha, haga un círculo en el número que se corresponde con la intensidad de cualquier tendencia que ha percibido (ver ejemplo) en los últimos tres meses.

Si ha enumerado alguna tendencia perfeccionista, inclúyala en el diario de preparación y examínela de nuevo cada mes para poder ver la progresión de la Autopreparación. Para obtener el marcador basta con sumar todos los números que ha seleccionado. Su resultado total debería decrecer a medida que avance en la preparación.

Tendencias perfeccionistas	Escala de intensidad				
Ejemplo:	Débil		Moderada		Fuerte
1. Sé que soy una persona fanática de mi apariencia. ¡Me es imposible no fijarme tanto en mí!	1	2	3	4	5
	Débil		Moderada		Fuerte
1.	1	2	3	4	5
2.	1	2	3	4	5
3.	1	2	3	4	5

17

Autopreparación para personas sensibles a la culpabilidad

Es normal que todos sintamos ansiedad de vez en cuando, y lo mismo ocurre con la culpabilidad. Ahora bien, aunque es una experiencia bastante común, mucha gente tiene dificultades para describirla. A veces, decepcionar a un amigo u olvidar el cumpleaños de alguien puede provocarnos remordimientos y calambres de culpa. Otras veces, podemos mentir o engañar a los demás sin tantos sentimientos posteriores.

La cantidad de culpa que uno siente depende de cómo interprete lo que está haciendo o lo que deja de hacer. Un soldado en batalla puede sentir sólo un poco de remordimiento al matar a su enemigo: «es mi obligación». El mismo soldado, cuando no está de servicio, puede sentirse atormentado por la forma en que le habló a un oficinista: «Me siento fatal. Él no se merecía ese lenguaje».

Si usted fuese antropólogo, tendría que buscar mucho y remontarse a tiempos muy lejanos para encontrar una cultura en la que la culpa esté ausente. Parece ser que la culpabilidad es un fenómeno psicocultural universal. ¿Cuál podría ser la ventaja evolutiva de dicha tendencia? Puesto que la evolución es el proceso de descartar lo inútil y perpetuar lo útil, podemos asumir que la culpabilidad, debido a su preponderancia, debe jugar un papel muy importante en el desarrollo humano. ¿Cómo puede ser un sentimiento tan devastador útil? Es difícil de imaginar, pero la culpabilidad puede ser la piedra angular de toda nuestra existencia social y cooperativa.

¿Es usted sensible a la culpabilidad?

Los padres y otras figuras autoritarias juegan un papel crítico durante el proceso de moldear nuestra percepción de lo correcto e incorrecto, es decir nuestro sentido moral. Los niños o aprenden a reprimir sus deseos egoístas y primitivos o viven con la molestia de padres enfadados y decepcionados (que pueden perder el control). ¿Quién no reconoce esta situación aunque se presente de distintas formas? «Si no dejas de hacer eso, mamá se va a enfadar mucho» o «Ya te he dicho que tuvieses cuidado. Mira lo que has hecho. ¡Lo has roto!». El psiquiatra suizo Carl Gustav Jung pensaba que sin culpabilidad no puede haber maduración psíquica. Para poder ir más allá de nuestro egoísmo infantil, primitivo y egocéntrico necesitamos un mecanismo interno que nos despierte, un mecanismo que nos impulse a hacer lo correcto. Este mecanismo es la culpabilidad.

Si no fuese por nuestra tendencia de egocentrismo no necesitaríamos reglas, leyes ni mandamientos. Aunque parezca fuerte, necesitamos que nos guarden de nosotros mismos y, más en concreto, de nuestro niño interno que sólo busca una cosa: la autogratificación. También cabe añadir que no todo el mundo siente la culpabilidad de la misma forma. Hay personas muy sensibles a la culpabilidad, mientras que otras son relativamente indiferentes a sus propias transgresiones, pese a que pueden ser rápidos a la hora de señalarlas en los demás. Cada uno de nosotros está equipado con un termostato de culpabilidad. Para algunos, este termostato es muy sensible y enseguida se enciende. Es lo que llamo personas sensibles a la culpabilidad. En cambio, hay personas que parecen ciegas al daño que infligen. Para estos *in*sensibles a la culpabilidad, a no ser que sea un trauma en toda ley, no se sienten culpables. Si usted es una persona orientada hacia el control a la que la culpabilidad le es muy familiar, entonces puede asumir que su termostato es muy sensible.

¿Qué es exactamente la culpabilidad? Básicamente es un sentido de remordimiento y pérdida de control que aparece cada vez que hace algo equivocado. Si pierde los nervios y le grita a su pareja, puede sentir culpabilidad, depresión o incomodidad ese día. Si, por otro lado, ha dejado que su pareja le ridiculice enfrente de los niños, puede sentirse culpable por no saber defender sus derechos. No hay que pensar que la culpa está reservada exclusivamente a las cosas que uno hace mal, ya que el *no* hacer algo también puede causar culpabilidad. Puede sentirse igual de culpable ante un descuido o una metedura de pata inintencionada que cuando está premeditada. A continuación exponemos otras expresiones comunes de culpabilidad:

Culpabilidad por cometer un acto

Se produce cuando hace algo por objetivos egoístas y después se arrepiente. Engañar a su pareja, mentir, robar, hacer daño a alguien, fingir enfermedad para librarse de una obligación son casos de acciones que pueden provocarle culpabilidad.

Culpabilidad por omisión

Surge cuando no hace lo que cree que es correcto. Ignorar una súplica de ayuda de un amigo, no trabajar todo lo que uno puede, olvidar un cumpleaños o un aniversario o no responder una llamada telefónica son ejemplos de culpabilidad por omisión.

Culpabilidad por comparación

En comparación con los demás, siente que tiene demasiado. Ir de vacaciones, tener buena suerte, heredar dinero o ver a un mendigo puede hacerle sentir culpable por todo lo que tiene.

Culpabilidad por fantasía o pensamiento

Este tipo de culpabilidad emerge cuando uno alberga pensamientos o fantasías que son inconsistentes con su moralidad. Deseos sexuales indecentes o pensamientos de ser infiel, de robar, de hacer daño a alguien o adoptar una conducta antisocial pueden desencadenar intensos sentimientos de culpabilidad.

Culpabilidad existencial

Ocurre cuando uno se siente culpable por lo que es, por su trabajo o por su rumbo en la vida, como no vivir de acuerdo a un ideal, sentirse perezoso, ser adicto a alguna sustancia perjudicial o forma de vida o tirar la toalla.

Sentirse culpable por las razones equivocadas

La primera vez que conocí a Pete, me entregó un libro con las páginas amarillentas, escrito de principio a fin con una letra meticulosa, casi torturada. Era el diario que escribió un verano cuando era sólo un adolescente. Me dijo si quería echarle una ojeada porque creía que podía ser útil para nuestro trabajo. Le pregunté si ocurrió algo significativo en aquel verano de 1960. Sólo dijo que creía que podía ser interesante y tenía toda la razón.

Pete se recuerda siempre echándose la culpa por todo. Cuando era pequeño se sentía culpable por no sacar mejores notas, por su incapacidad para complacer a su madre, por su apariencia física y por su falta de talento. Incluso se sentía culpable porque odiaba darle un paseo al perro (al fin y al cabo, él era el que había implorado un cachorro). Pete era hijo único cuya madre utilizaba la culpabilidad como medio de control y educación. Él ya era una persona sensible por naturaleza y no le ayudó demasiado la educación de su madre. Si Pete desobedecía, ella le ignoraba durante un día o dos de silencio, lo que volvía loco al pobre Pete: «Hubiese preferido cualquier otro castigo al silencio», decía: «No lo soportaba. Lloraba y le suplicaba durante horas que me hablase, pero ella no cedía para enseñarme la lección». Pete dependía demasiado de su madre y estaba obsesionado con la idea de perder su afecto.

En general, Pete era un buen chico que no se metía en demasiados líos, así que como respuesta a su vida vulnerable y, en su caso por necesidad, logró poner en práctica algunas estrategias de control adecuadas en su vida. Intentaba predecir lo que se esperaba de él y así minimizaba las probabilidades de error y, consecuentemente, de culpa. A pesar de estos esfuerzos diligentes, la vida de Pete siguió invadida por una sensibilidad a la culpa. Con diez años, ya había aceptado su estilo de vida compulsivo, alerta y controlador. Si no hubiese sido por un trauma que sufrió una tarde de verano, puede que las cosas hubiesen seguido así durante muchos años.

Todo empezó como cualquier día de julio en el norte de Nueva Jersey: el cielo brumoso, calor y humedad con una temperatura de 38 grados. La madre de Pete había tenido que ir a formar parte de un jurado popular y le dejó órdenes estrictas: «Limpia tu habitación, saca la basura a la calle y asegúrate de que sacas al perro».

Pete tenía intención de cumplir todas sus órdenes y, además, ya había limpiado la habitación y, cuando estaba sacando la basura, su vecino Eugene le gritó: «¡Ya lo tengo! ¡Ya lo tengo! ¡Mi carreta! ¡Vamos a dar una vuelta!». Pete se dirigía a la casa de Eugene para ver su nuevo juguete cuando recordó a su perro Tippy, al que debía sacar de paseo. Le dijo a Eugene que esperase un momento, volvió a casa, cogió a Tippy, lo ató en la valla del jardín y fue con Eugene y su padre, que estaban muy atareados con la nueva carreta.

Pete perdió la noción del tiempo aquel día. Sólo recuerda que hubo un momento en que sintió hambre y retortijones en el estómago y supo que debía de ser tarde. Decidió ir a casa antes de que llegase su madre. No había hecho nada malo, pero era mejor llegar antes que ella. Por el camino, Pete se acordó de Tippy. De repente, un sentimiento frío e indescriptible le agarró el estómago. Corrió y allí encontró a Tippy inmóvil. Pete se vio invadido por el pánico, el miedo y la pena. Cogió a Tippy y entró con él en la casa mientras lloraba diciendo: «¿Cómo pude olvidar dejarle agua? ¡He matado a Tippy!». Entonces pensó que si hubiese hecho lo que su madre le dijo, nada de esto hubiese ocurrido. Ese pensamiento le paralizó y le provocó un ataque de culpabilidad que Pete supo que nunca se podría quitar de encima.

Mientras lloraba mirando a Tippy tumbado sobre el suelo de la cocina enfrente de él, su madre entró en casa. Al ver el panorama gritó: «¿Qué le ha pasado a Tippy?». Pete la miró a través de sus ojos enrojecidos e hinchados, dudó y contestó: «No lo sé, estaba así cuando he vuelto a casa».

Durante días, Pete no pudo quitarse el remordimiento de la cabeza: «¿Qué he hecho?». Sentía miedo y confusión porque sabía que, de alguna forma, había cruzado la línea. Había hecho lo impensable y después había mentido. ¿Qué clase de monstruo era? Sabía que nunca podría volver a su vida normal, tranquila y moderadamente culpable. Si pudiese retroceder en el tiempo podría deshacer ese trauma, pero era imposible.

Pete, que ya era un chico sensible de por sí, decidió que lo único que podía hacer era no volver a cagarla nunca más. Nunca tenía que volver a ser tan descuidado ni impulsivo. Su termostato de culpabilidad se encendió al rojo vivo y su sensibilidad a la culpa era tan extrema que se vio obligado a ser un genio del control. Con el tiempo, su estilo de vida obsesivo y controlado acabó agotándole y por eso acudió a terapia a los treinta y tantos, deprimido, atormentado y golpeado por la vida. Pete necesitaba ayuda para reparar su termostato.

Autopreparación, la eliminadora de la culpabilidad

La Autopreparación le enseñó a Pete cómo su naturaleza sensible combinada con estrategias educativas basadas en la culpabilidad impuestas por su madre hicieron que se sintiese constantemente desequilibrado, inseguro y fuera de control. El incidente con Tippy sólo agudizó el sentido de culpabilidad atormentado del chico. Esta culpabilidad se convirtió en su radar, examinando el mundo para anticipar y protegerle de cualquier error:

Desvío de las expectativas de la madre (o autoridad) → sensación de culpabilidad → alteración en la conducta → reducción del sentimiento de culpabilidad → evitar el desvío (control) de expectativas futuras.

Puesto que el control no es más que un espejismo y en ningún caso representa la solución (Autopreparación, principio de curación 4), Pete estaba destinado a sufrir. Él mismo lo describió como «bajar por las escaleras de la vida». El esfuerzo y la energía que destinó para evitar problemas le dejaba fatigado y, si bien habían pasado ya más de veinticinco años desde el incidente con Tippy, Pete todavía seguía refiriéndose a él y seguía estando afectado, confirmando que nunca debía haber bajado la guarda ni haberse descuidado. La última página de su diario terminaba con una profecía: «Nunca, nunca haré daño a nadie otra vez».

Cuando conocí a Pete tenía treinta y cinco y era obvio que seguía teniendo la misma visión del mundo que tenía cuando era un niño. Decía que nunca se puede estar lo suficientemente seguro y que cada paso que uno da puede ser mortal. El cuidado obsesivo y casi paranoico de Pete no era más que una aceptación ciega de su pasado atormentado y de cómo lo proyectaba en el presente.

Pete se dio cuenta de que era demasiado sensible, así que quería actualizar su guión y dejar de reaccionar como un niño asustadizo al que su madre castigaría si no hacía las cosas bien. En vez de estar regido por un hábito obsoleto, Pete necesitaba una evaluación mucho más real del peligro.

Animado por su trabajo de Autopreparación, Pete empezó a utilizar la Autocharla para enfrentarse a su Niño Inseguro y obtuvo mucha práctica, puesto que prácticamente en todas las situaciones sociales oía cómo su Niño le decía al oído: «Ten cuidado. No metas la pata. ¿Por qué está tan callado? ¿Qué ha dicho ya?», pero a pesar de estas palabras, Pete reunió la valentía para arriesgarse. Incluso cuando su Niño Inseguro le desequilibraba con comentarios aterradores, decidió tratar todas sus palabras como si fuesen faltas. Se dijo a sí mismo: «No tengo que tener cuidado. Puedo correr ciertos riesgos. Si meto la pata, pues la he metido. Ya está. Tampoco pasa nada».

Al principio se sentía muy incómodo con esta nueva visión, pero insistió en pensar y actuar de forma más madura. Al exigirse ser menos sensible, Pete se liberó de su cobardía habitual y fue cobrando más fuerza. Estaba entusiasmado con lo rápido que cambiaban las cosas cuando uno decidía verlas con una perspectiva de aquí y ahora en vez de con los ojos del «Niño Preocupado», que ahora llamaba a su Niño Inseguro.

Armado ahora con una comprensión y con los cimientos de la seguridad, Pete estaba preparado para deshacerse del Niño. A través de los tres pasos de la Autocharla, se sorprendió de todo lo que hablaba su Niño. «Sabía que era sensible, pero esto es increíble. Me siento culpable por todo. Se me olvidó sostenerle la puerta a una mujer que quería salir de una tienda el otro día y le oí decir: "hombre, gracias por aguantarme la puerta, idiota", y todo el día estuve crucificándome por eso. En vez de sentirme enfadado porque me llamase "idiota" o pensar que son cosas que pasan, me sentí culpable. ¡Esto es enfermizo!»

El paso número 2 de la Autocharla (dejar de escuchar al Niño Inseguro) es el que le presentó mayores problemas. Pete me dijo: «A pesar de que odio al Niño Preocupado, sigue rondando por mi vida. Está obsesionado. Mi pensamiento razonable se paraliza y caigo en esa espiral de culpabilidad y depresión. Me odio cuando meto la pata y nunca puedo estar contento». Al leer estas palabras, ¿no le parece que necesitaba proceder a la charla de ánimo?

Pete y yo trabajamos extensamente en su motivación. Al principio, necesitaba que le animase constantemente y decidió emplear una estrategia de entrenamiento mediante la cual hablaba al potencial maduro que había quedado atrapado en su crecimiento. Mi charla de ánimo era algo como esto: «El Niño Preocupado es un tipo duro. Se ha hecho muy fuerte, pero no pasa nada porque usted también puede hacerse fuerte. Siempre que resista, luche o reconozca la influencia del Niño Preocupado estará trabajando sus músculos. Aproveche cada momento que tenga para hacer ejercicio. Observe cada problema como una oportunidad para practicar. Si el Niño Preocupado llama a su puerta, olvídese de él y siga con su vida. Ya lo ha intentado y eso es lo que importa. Ahora la experiencia y toda la práctica que consiga harán el resto. Deje de preocuparse por el tiempo que durará el programa o si va a funcionar. Sencillamente concéntrese en el trabajo diario. El mañana ya vendrá. El ahora es lo que importa».

Reflexión respecto a la Autopreparación

La charla de ánimo es una parte esencial de la Autopreparación.
La clave para pronunciar una buena charla de ánimo es ¡créerselo!
Obsérvese a sí mismo como si fuese un entrenador que está en los vestuarios
caminando de un lado para el otro antes del gran partido.
Básicamente tiene que ver la situación y dejar que su entrenador interno hable.
Se quedará sorprendido de lo fácil y agradable que puede ser esta parte
del programa de preparación. Empiece con una frase de ánimo.
Óigase a sí mismo, véase, emociónese, grite y siga así.

Pete fue ganando terreno poco a poco y pronto ya dejó indicado en su diario de preparación: «¡Creo que lo he conseguido! El Niño Preocupado estaba enfadado conmigo porque llamé al trabajo para decir que no iba porque no me encontraba bien. Colgué el teléfono y me dije: "Tengo una elección. Puedo dejar que el Niño Preocupado me haga sentir culpable o puedo aceptar que no me encuentro bien y tengo derecho a tomarme el día libre. Sí, decido quedarme en casa y no sentirme culpable". Necesité darme una charla de ánimo unas cuantas veces, pero no hubo problemas. El Niño Preocupado no consiguió molestarme y, además de quedarme en casa sin sentir culpabilidad, me encuentro fenomenal a pesar de la gripe».

Cabe también añadir que a medida que Pete consiguió gradualmente deshacerse del gobierno de su Niño Inseguro, acabó admitiendo: «Cometí un error con Tippy. Era pequeño y no tenía demasiado juicio. Fue algo horrible, pero ya es hora de perdonarme a mí mismo. No soy un monstruo ni un asesino. Ha llegado el momento de crecer y de darme cuenta de que puedo cometer errores». Por fin, después de veinticinco años, Pete se perdonó a sí mismo por haber desobedecido a su madre aquella calurosa y húmeda tarde de julio.

¿Es necesaria la culpabilidad en algún caso?

A partir de la historia de Pete podemos percatarnos de lo intensa y transformadora que puede ser una experiencia de culpabilidad. Además, Pete dista mucho de ser un caso aislado. Podría hablarles de muchos casos más como el de Sarah, una mujer de unos treinta años que vivía con su madre asfixiante que no dejaba de recordarle lo mala hija que era por querer irse a vivir a otro lugar o el caso de Al, un hombre al que no le estaba permitido disfrutar de la vida porque su esposa había fallecido hacía más de dos años.

Pese a que la culpabilidad es un aspecto común de muchos problemas que se presentan en la terapia, hay que tener en cuenta que no siempre la culpabilidad es neurótica. Por ejemplo, la culpabilidad puede hacerle poner los pies sobre la tierra al hacerle moralmente responsable de otros antes de hacer algo de lo que podría arrepentirse. «Tengo que llamar a mi hermana.» «Creo que he sido demasiado duro con los chicos.» «Tienes razón, he actuado mal.» La culpabilidad a veces es una anticipación de la misma culpabilidad, que puede ser una gran fuerza que da forma a nuestra sociedad.

Entonces, ¿cuál es el veredicto para la culpabilidad? ¿Es mala o buena? ¿Puede la culpabilidad hacer que una persona sea mejor o peor? Lo que está claro es que un mayor entendimiento de la naturaleza y el significado de la culpabilidad puede ayudarnos a todos a ser más realistas con nuestras responsabilidades morales y, cuanto más realistas seamos, menos terreno se le cede al Niño Inseguro.

Moralidad y conciencia

Al posicionarse entre la naturaleza egoísta de su Niño Inseguro y las exigencias sociales de su comunidad se convierte en un mediador, en un árbitro del equilibrio y la justicia que denominamos nuestra conciencia. Piense en su *conciencia* como un guarda de seguridad (ojo al juego de palabras) que constantemente controla sus acciones y sus pensamientos. A medida que empieza a inclinarse hacia alguna indiferencia egoísta de algún aspecto de la vida, su guarda de seguridad empieza a actuar con su única arma contra los excesos de su Niño Inseguro que es la capacidad para generar *culpabilidad*. Puesto que ésta puede ser muy incómoda, suele llamar nuestra atención e interrumpir esa conducta.

La culpabilidad y la conciencia representan dos lados de un triángulo, pero ahora presentamos el tercero, que tiene la misma importancia al formar su sentido de lo correcto e incorrecto, su moral personal. Esta tercera fuerza moldeadora es la *consecuencia*. Desde las primeras experiencias con sus padres, con figuras autoritarias y con experiencias cotidianas de prueba y error, ha ido moldeando continuamente los efectos formidables de la consecuencia. Si infringe una ley, se arriesga a que le detengan. Si descuida a un amigo, está poniendo en peligro la amistad. Si fuma, corre el riesgo de contraer cáncer pulmonar. Estamos acostumbrados y esperamos consecuencias a nuestras acciones.

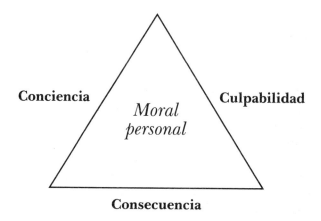

Conciencia — Moral personal — Culpabilidad

Consecuencia

Cuando era un interino, dirigí una terapia de grupo para personas reincidentes de la Prisión Federal de Lompoc. Todo el grupo sin excepción habían fracasado en un aspecto: Aparte de tener muy bajos sentimientos de culpabilidad, nunca había sabido abarcar el concepto de consecuencia. Todos sostenían que eran muy listos o muy calculadores y que por eso no les volverían a pillar. Además, el hecho de que les hubiesen arrestado en el pasado parecía no tener ninguna importancia para ellos. No habían aprendido nada, excepto que la siguiente vez sería diferente y empleaban un razonamiento irracional mediante el cual se podrían comportar de la misma forma, pero con resultados distintos. Afirmaban que ahora eran más listos y, además, el que les hubiesen detenido la primera vez sólo era cuestión de mala suerte (no tenía nada que ver con sus acciones).

Estos prisioneros viven en un mundo de consecuencia, como usted y como yo, pero lo ignoran. Está claro que todos podemos elegir vivir según la impulsividad de nuestros Niños Inseguros. No hace falta ser un prisionero de Lompoc para saltarse las normas y no sentirse culpable. Todos podemos ignorar las consecuencias, pero no podemos escapar a ellas. Si no fuese así, entonces viviríamos en una sociedad sin leyes, en un mundo alborotado en el que gobernaría el caos.

Mártires

Ninguna discusión sobre la culpabilidad se podría dar por completa sin introducir otro tipo de persona orientada hacia el control, que es la peor pesadilla de las personas sensibles al control: el Mártir. Los Mártires son muy adeptos a la manipulación de la debilidad de las personas sensibles a la Culpabilidad. Son víctimas perpetuas que ahondan y utilizan la culpabilidad. «No, claro que no, querido, me da igual que vayas a la reunión. Además, quién sabe, quizás se me pase el dolor de cabeza.» La persona sensible a la culpabilidad que se marcha a la reunión estará pensando: «Soy un egoísta. Debería haberme quedado en casa y ayudar. ¿Cómo puedo ser tan insensible?». Los Mártires, al igual que el resto de las expresiones de control que hemos mencionado, están guiados por su inseguridad. Por ejemplo, las Tortugas controlan mediante el distanciamiento, los Erizos mediante la hostilidad y los Mártires mediante la manipulación. Hay que andar con ojo porque las personas sensibles a la culpabilidad son un blanco fácil para los Mártires.

En el ejemplo anterior, vimos cómo el «trato de silencio» de la madre de Pete fue una herramienta efectiva, pese a no ser muy humana, para conseguir la conducta que deseaba. Otros padres menos sofisticados, sobre todo los frustrados e incapaces de enseñar la respuesta adecuada, confiarán en la culpabilidad para coaccionar y controlar a sus hijos. Si un padre es un Mártir, el crecimiento del niño puede ser bastante devastador.

Henry, un paciente de cincuenta y seis años de edad, recuerda así a su madre:

«Desde que puedo llegar a recordar, mi madre estaba siempre enferma, o al menos eso era lo que me decía. Siempre que hacía algo mal, como llegar tarde para la cena o no hacer los deberes, mi madre me recordaba lo mal que estaba su corazón y lo mal que le sentaba que yo le hiciese enfadar. Crecí creyendo que era una flor delicada y que, en cualquier momento, mis acciones podrían matarla. Era un sentimiento terrible que ella agudizaba quejándose continuamente por la falta de atención. La frase que más temía era: "Cuando no esté aquí, lo sentirás". Me dejaba destrozado.

Una vez, cuando tenía seis o siete años, estaba jugando con un amigo en el patio y me dijo que entrase en la casa y le trajese una naranja. No sé qué pasó, pero me olvidé de la naranja y más tarde, por la noche, supongo que quería enseñarme una lección porque me dijo: "Un día, cuando ya no esté aquí, te acordarás de que tu madre te pidió un favor", dijo, "recordarás la naranja y lo triste que estaba mamá". Me hizo sentir fatal, así que intenté disculparme, pero ella exclamó: "Es demasiado tarde. Ahora ya no puedes reparar el daño que me has hecho".

Tenía razón en algo. ¡Ahora tengo cincuenta y seis y sigo hablando de la maldita naranja! Y lo más irónico de todo es que mi madre tiene ahora ochenta y cuatro años (¡es increíble lo mucho que puede vivir un corazón tan frágil!) y sigue haciendo lo mismo conmigo: "Nadie me llama. Claro, todos están muy ocupados...". Sé que lo que dice no tiene ni pies ni cabeza, pero sigue haciéndome sentir mal. Tengo miedo de que muera y después me arrepienta de no haber hecho lo que me pedía, como ocurrió con la naranja.»

Henry estaba deprimido y destrozado por su culpabilidad, que hacía tiempo había proyectado hacia su mujer, sus hijos e incluso sus amigos. No hacía mucho Henry se sintió angustiado cuando su cuñado le llamó porque tenía dos entradas para un partido de fútbol. Henry odiaba el fútbol y no quería estar en un estadio con el calor que hacía, pero no podía decir «no». Era el mismo caso de la naranja. Después de años y años de sentir culpabilidad por su madre, Henry no quería que nadie más se enfadase con él. Sentía mucha ansiedad porque para él decir «no» significaba que su cuñado se enfadaría y era una consecuencia que Henry no soportaría (recuerde el triángulo de la moralidad en el que cada decisión que se tome como «correcta» o «incorrecta» puede estar influenciada por una o por todas estas fuerzas moldeadoras: la culpabilidad, la conciencia o la consecuencia).

Al final Henry fue al partido de fútbol, sobre todo por miedo a que ocurriese una consecuencia indeseada, que su cuñado se enfadase. Henry cada vez se parecía más a una Tortuga, ya que se intentaba distanciar de las exigencias de los demás. Al no poder decir «no», la evasión parecía la única salida para evitar el conflicto.

El programa de Autopreparación de Henry fue muy directo. Tenía que reconocer que su madre era una Mártir que le manipuló y le coaccionó. También necesitaba comprender que su personalidad sensible a la culpabilidad era el resultado de la erosión incesante de su seguridad (si metía la pata, si era un poco egoísta o si olvidaba realizar una tarea podía acabar matando a su madre). La Autocharla de Henry le enfrentaba a un Niño Inseguro que estaba aterrado ante cualquier equivocación. Ante la situación, Henry empezó a enfrentarse a él, insistiendo en que, si quería sentirse mejor consigo mismo, tenía que correr riesgos y ser fuerte. Yo le apoyé al cien por cien.

No siempre es tan duro como parece. Un día le dije a Henry que, si quería alejarse de la sombra manipuladora de su madre, tenía que arriesgarse, literalmente, a «matarla». Henry me entendió enseguida: «Tiene razón. Llegará un momento en el que tendré que decir "¡Basta!". Si se muere porque no la he llamado por teléfono, tendré que aceptarlo. Si muere será porque ella misma se ha destrozado. Yo no puedo ser el responsable de su neurosis».

Después de cincuenta y seis años de obediencia conducida por la culpabilidad, por fin Henry pudo caminar separado de la sombra de su madre. Ella no se murió y Henry empezó a vivir.

Los Mártires son extrañas parejas

No crea que los padres son los únicos Mártires que existen. Cuando una persona sensible a la culpabilidad se casa con un mártir, se pueden establecer unos lazos muy liados. Sin embargo, estas parejas no son tan raras como parecen. La persona sensible a la culpabilidad se siente atraída por el deseo de rescatar a esa pobre víctima indefensa y ¿qué hay que objetar? El salvar a alguien puede convertir a un ser en alguien poderoso y fuerte. Por su lado, el mártir, al igual que a los tiburones, le gusta acercarse a donde pueda obtener beneficios y un/a compañero/a sensible a la culpabilidad puede manipularse fácilmente.

A través de la relación de Tony y Kerry nos podemos hacer una idea de esta extraña pareja. Durante una sesión marital, Tony explicó: «Kerry afirma que nunca me dice lo que tengo que hacer, pero lo que ella no entiende es que me hace sentir tan culpable que acabo haciendo lo que ella quiere».

Kerry interrumpió: «No, eso no es cierto. Tony tiene problemas porque soy honesta con él. Yo nunca intento manipularle». «¿Qué?», lanzó Tony, «¿crees que es normal decirme cuando te aviso de que me voy a la bolera que nunca sales de casa, que estás aburrida y agotada? ¿No es eso manipular?»

Kerry empezó a mostrar su carácter de mártir: «A pesar de lo honesta que soy contigo, siempre acabo metiéndome en problemas. Supongo que no puedo tener una opinión. Bueno, si eso es lo que quieres está bien. Estaré callada y ya no diré nada».

Tony se exasperó: «Olvídalo, olvídalo. Ya no puedo soportar esta situación. ¡Haré lo que quieras! ¡Abandonaré la liga! No puedo seguir con estos sentimientos».

Tanto Kerry como Tony estaban gobernados por sus Niños Inseguros. La Niña Insegura de Kerry insistía en que ella tenía que llevar la voz cantante en la relación debido a su sufrimiento ficticio (pero que, como la mayoría de mártires, creía que era real). Ella consiguió lo que quería: control. En cambio, el Niño Inseguro y sensible a la culpabilidad de Tony sólo quería evitar cualquier conflicto y ser un buen chico.

Como terapeuta, no sabía por dónde empezar con tantos rasgos a tratar. Kerry era totalmente inconsciente de su papel de mártir y necesitaba educación de Autopreparación, pero, por desgracia, su falta de conocimiento propio hizo que fuese imposible percibir su propia conducta. Necesitaba oír en boca de Tony qué expresiones de control estaban contaminando su vida. Tony (tras un seguimiento y exploración) señaló que intentaba controlar todo lo que él hacía argumentando sufrimiento. «Siempre que quiero hacer algo, tú tienes algún problema. Cuando no es un dolor de cabeza o de espalda, es el cansancio o la tristeza. Siempre me dices que no hay problema, pero siempre lo hay. Me dejas confundido y con sentimientos de culpabilidad. Nunca me dejas decidir nada. A menos que todas estas enfermedades sean ciertas, tienes un problema.»

En cuanto a Tony, la sensación de culpabilidad era una forma de evitar conflictos. Llegar a entender que se trataba de un hábito requirió bastante esfuerzo por su parte. Él había sido un niño que venía de una familia quebrantada y pasó muchas temporadas con su abuela, luego con su tía y por último con su madre soltera. Siempre había pensado que sus padres se habían separado por él y no iba tan desencaminado. Su madre sólo tenía diecisiete años cuando él nació y su padre la obligó a dejar el instituto para trabajar. Las exigencias de un matrimonio y una familia fueron demasiado para una pareja tan inmadura, y cuando Tony sólo tenía siete años, ya había testimoniado innumerables peleas en las que él era el objeto contencioso. Tony creció con una gran carga de culpabilidad por haber arruinado la vida de sus padres.

En el instituto, Tony se rebeló, mostrándose descuidado, tonteando con las drogas, como una especie de anestesia por su tormento anterior. Esta rebeldía funcionó durante algún tiempo, pero después se volvió amarga porque se metió en líos con la ley, le obligaron a ir a un centro de rehabilitación y le medicaron con antidepresivos. Cuando logró salir de este período destructivo, alejado de su refugio de drogas, volvió a su estilo de vida sensible a la culpabilidad y se volvió compulsivo en muchos aspectos, intentando controlar su vida antes de que ocurriese algo negativo.

A medida que Tony y Kerry fueron sumergiéndose más en sus programas, empezaron a ayudarse mutuamente, señalando cuándo estaba hablando el Niño Inseguro del otro y ofreciéndose críticas constructivas sobre cómo percibían las intenciones subyacentes. Lo más importante es que lo hacían de forma positiva y terapéutica, ya que nunca se consigue nada si un miembro de la pareja ataca al otro con frases como «deja de sentir lástima por ti misma. Eres una mártir patética y no voy a permitir que me digas qué tengo que hacer». Una respuesta mucho más terapéutica sería: «Dices que te parece bien que vaya a la bolera, pero puedo oír a tu Niña Insegura hablando. ¿Por qué crees que tu Niña se siente tan vulnerable? Venga, vamos a hablar».

Pese a lo neurótica que pueda volverse una relación, lo opuesto también es cierto. Puede ser una fuente constante de respuestas y conocimiento preciso y, si ambos miembros están dispuestos a compartir sus esfuerzos de preparación, los resultados pueden ser excelentes. Sugiero que ambos pacientes lean este libro, compartan cualquier pensamiento u observación que se les ocurra e intercambien regularmente sus diarios de preparación y realicen sesiones de puesta en común.

Sugerencia para la preparación

Si utiliza la Autopreparación para mejorar aspectos de su relación en pareja, tenga en cuenta que el punto de vista de su compañero/a es extremadamente valioso. Asumiendo que el punto de vista que aporte el otro sea partiendo de la buena fe, tendrá que aceptar que él/ella verá aspectos de su Niño Inseguro que usted no podrá ver. No pierda esta preciada oportunidad para progresar poniéndose a la defensiva o siguiendo una visión estrecha de miras.

Evalúe si considera que es una persona sensible a la culpabilidad (debido a su Niño Inseguro). Bajo los epígrafes de la izquierda, haga una lista de las expresiones de culpabilidad a las que es propenso y déle una puntuación a cada expresión utilizando la escala de la derecha. De forma regular, aconsejablemente cada mes, compruebe si sus esfuerzos con la Autopreparación han reducido su sensibilidad a la culpabilidad.

.

	Suave		Moderada		Extrema
Culpabilidad por cometer un acto Por ejemplo: mentir, engañar, hacerle daño a alguien. Su ejemplo:	1	2	3	4	5
Culpabilidad por omisión de un acto Por ejemplo: olvidar o no hacer algo. Su ejemplo:	1	2	3	4	5
Culpabilidad por comparación Culpabilidad en comparación con otros. Su ejemplo:	1	2	3	4	5
Culpabilidad por fantasía o pensamiento Pensamientos o fantasías inconsistentes con su moral. Su ejemplo:	1	2	3	4	5
Culpabilidad existencial Culpabilidad por ser quien es o por lo que es. Su ejemplo:	1	2	3	4	5

Quinta parte

La Autopreparación
para toda la vida

18

La Autopreparación

En la introducción, mencioné que había estado en un equipo de fútbol americano cuando iba al instituto. Mi decisión de ser miembro no fue fácil porque con menos de 50 kilos estaba muerto de miedo. Si lo recuerda, la única razón por la que decidí ser miembro del equipo era para dar la impresión de que era un tipo duro. A pesar de mi inquietud sobre jugar en el equipo, ocurrió algo bastante destacable. Ese «algo» es importante y no tiene nada que ver con el fútbol americano, sino con la liberación personal.

El primer día de entrenamiento me dieron todo lo necesario para jugar: protectores para los hombros y para la cadera, guantes, rodilleras, casco y protección bucal. Nunca antes había visto tanta parafernalia. Yo venía de un pueblo en el que se jugaba prácticamente sin nada, así que todo ese material me impresionó. Después, recuerdo que me senté en los vestuarios como hipnotizado y, cuando me empecé a adaptar a esa armadura de plástico, goma y esponja, un extraño sentimiento empezó a salir a la luz; algo que nunca antes había experimentado. Sólo puedo describirlo como una profunda serenidad y tranquilidad. Considerando el caos total que reinaba en los vestuarios, mi estado anímico era, cuando menos, curioso.

Cuando ya había acabado de vestirme, me miré en el espejo y, en vez de ver a un chico delgaducho, me vi como un gigante. Además de los anchos hombros y de las piernas rellenas de esponjas era 3 cm más alto por las deportivas, algo que me pareció perfecto. Al entrar en el campo de juego me di cuenta de que estaba totalmente protegido y aislado del dolor. Mi cuerpo delgaducho ya no era vulnerable y ahora tenía como eje un esqueleto que hacía que me sintiese seguro y cómodo conmigo mismo. Lo que aún fue más sorprendente fue que, por vez primera, no había ninguna duda ni miedo que merodeasen por mi cabeza. ¡Nada! ¡Cero! Fue una sensación increíble. Nadie podía hacerme daño. De verdad me lo creí y eso fue lo que me liberó. Por primera vez en mi vida me sentí liberado de la inseguridad.

El fútbol americano llegó a apasionarme y durante cuatro años jugué con gran tesón y constancia. Nunca se me pasó por la cabeza (a pesar de las lesiones de mis compañeros) que podría hacerme daño. Eso es lo que quiero transmitir: no fueron las protecciones las que me hicieron invulnerable, sino mi disposición para creer que esas piezas de la armadura estratégicamente emplazadas me permitían deshacerme de mis temores. En pocas palabras, confiaba en aquella protección.

Antes de que salga corriendo para la tienda a comprar protectores, reconozca que si puede aprender a confiar en usted y en su mundo, entonces será libre para descartar la inseguridad, la ansiedad y la depresión. La Autopreparación puede ayudarle a confiar de nuevo en sí mismo o quizás por vez primera. Cuando lo consiga, cuando confíe en sus recursos naturales para vivir en vez de controlar la vida, estará listo para experimentar ese sentimiento de serenidad casi trascendente que yo supe saborear en aquel vestuario hace muchos años.

Los hábitos se crearon para romperse

A veces los pacientes acuden a mí para mostrarme lo destrozados que están, lo «enfermos que están a nivel psicológico» o sus locuras. Nunca acepto estas percepciones calamitosas. Desde el principio, dejo siempre bien claro: «Lo único que le ocurre es que tiene un mal hábito, el hábito de la inseguridad». Al igual que otros hábitos negativos, tanto si se trata de morderse las uñas como de fumar, no se rompen fácilmente, pero desde luego se puede conseguir. Su Niño ha ido ganando fuerza de hábito y se ha convertido en su nicotina, su alcohol, su debilidad.

La Autocharla es su mejor herramienta para desarmar el hábito de su Niño Inseguro y sustituirlo por un hábito natural, instintivo y favorable para la vida. Ahora bien, no sea inocente ni espere ser distinto, ya que tendrá que luchar porque los hábitos, por naturaleza, se resisten al cambio. Mark Twain dijo, en referencia a su hábito fumador, que era el hábito más fácil de romper del mundo, según afirmó: «Yo mismo lo he roto miles de veces». Acabar con los viejos hábitos requiere un esfuerzo constante. Tiene que desafiar a su Niño cada día hasta que se libere de la ansiedad y la depresión. La charla de ánimo, la Autocharla y los esfuerzos de preparación diarios y sistemáticos son componentes necesarios diseñados para darle una patada al hábito de la inseguridad.

He mencionado que depende de usted el desarrollar sus propias afirmaciones positivas. Tras muchos años de ayuda y formación a pacientes para quitarse la camisa de la ansiedad y la depresión, he encontrado una afirmación positiva (derivada del principio de curación nº 5 de Autopreparación) que utilizo mucho y que querría añadir a su lista. Siempre que estoy con un paciente que dramatiza respecto a su lucha para romper el hábito le grito: «*Vamos, ¡es sólo un hábito!*».

Quiero que lo repita a menudo: ¡Es sólo un hábito! Quiero que se recuerde a sí mismo, de vez en cuando, que no está luchando contra algo sobrenatural, demoníaco o misterioso, sino contra un simple hábito. Nada más. Seguramente estará mostrando demasiado respeto ante sus síntomas. Recuerdo que un paciente me dijo una vez: «Usted no lo entiende, doctor, le estoy hablando de depresión». Ira mostraba un respeto impresionante por su depresión y no la contemplaba como un simple hábito, así que tuvimos que deshinchar su visión y utilizar la Autopreparación para romper el hábito de la depresión y la inseguridad.

Quizás a usted le pase un poco como a Ira y observa sus problemas como algo que es intratable e insuperable. Siempre y cuando su capacidad para funcionar y sentir no se vea en peligro, podrá enfrentarse cara a cara con su enemigo y decidir confiar en el programa de Autopreparación (recuerde mis «protectores»).

Confíe en una disposición para creer. Usted decide. Revise los capítulos de este libro y pregúntese: «¿Refleja este programa lo que estoy padeciendo? ¿Podría explicar la comprensión de la necesidad de control de mi Niño Inseguro mi ansiedad y depresión?» Si cree que su ansiedad y depresión pueden ser explicadas y ve los efectos de su Niño Inseguro y sus retorcidas estrategias para mantener el control, entonces ¿por qué no dar el último salto de fe? ¿Por qué no admitir lo que le haría empezar a caminar por el sendero de la verdadera liberación? ¿Por qué no admitir que sólo padece un hábito, el de la inseguridad? Además, también debería admitir una última verdad: *los hábitos pueden romperse*.

Algunas realidades

Recuerdo una vez que corrí una maratón cuando tenía cuarenta y cinco años. Durante gran parte de la carrera iba pensando «soy demasiado mayor para esto» y estoy seguro de que esos pensamientos erosionaron mis esfuerzos y disminuyeron mi rendimiento. Aquella noche, cuando estaba ya en casa viendo el reportaje que la televisión local había hecho de la maratón, vi cómo entrevistaron a tres hombres muy mayores. Resulta que habían llegado hasta la meta y tenían más de noventa años. Le aseguro que en la siguiente maratón ya no me sentí tan mayor.

¿Qué tiene esto que ver con usted? Sólo es una forma de advertirle que tenga cuidado con los pensamientos negativos, ya que, aunque puedan parecer racionales, siempre pueden superarse por positivos. Los pensamientos son parte del hábito de su Niño Inseguro para mantenerle desequilibrado y hacer que se sienta inseguro perpetuamente. Con cuarenta y cinco años no era tan mayor y la prueba es que había gente que me doblaba la edad compitiendo. Sólo permití escuchar a mi Niño Inseguro.

No tengo mucho más que contarle sobre cómo combatir la ansiedad y la depresión. Sólo reitero que necesitará paciencia y realismo respecto a sus objetivos y expectativas. La impaciencia le enterrará, lo mismo que hace la negatividad, ya que ambas son venenos. Si está intentando dejar de fumar, no tendrá problema diciéndose a sí mismo que una actitud destructiva fue «la charla de la nicotina». En cuanto a la negatividad, la impaciencia, la pereza, la duda o la desconfianza, haga lo mismo que con la nicotina: «Sólo se trataba de una charla de mi Niño Inseguro».

Hacerse fuerte

Necesita seguir este programa lo suficiente como para desarrollar una actitud positiva y sana a nivel emocional. Debe tener en cuenta que su Niño Inseguro le ha debilitado y para que sea al contrario necesitará ejercitar su músculo mental a diario mediante su programa de preparación. No hay otro remedio. Para romper un hábito, tendrá que reestructurar su pensamiento y percepciones, sobre todo en lo que respecta a usted mismo. Cuando ya vaya adquiriendo el músculo de la confianza en sí mismo verá como todo acontece a pasos agigantados. Tenga como lema las verdades contenidas en los siete principios de curación de la Autopreparación:

1. Todo el mundo tiene un legado de inseguridad, el Niño Inseguro.

2. Los pensamientos preceden a los sentimientos, ansiedades y depresiones.

3. La ansiedad y la depresión son intentos erróneos para controlar la vida.

4. El control es un espejismo, no es una respuesta.

5. La inseguridad es un hábito y todo hábito puede romperse.

6. El pensamiento sano es una elección.

7. Un buen entrenador es un buen motivador.

¡El programa funcionará si usted se esfuerza!

Relajarse

Falta el último paso de la Autopreparación: relajarse. Sería algo similar a correr 30 kilómetros esforzándose al máximo (controlando el ritmo, el ritmo cardiaco, la musculatura, etc.) y al volver a casa, exhausto, darse un baño caliente y dejar que todos los pensamientos se desvanezcan. Con la Autopreparación, es importante que entrene con vigor y domine a su Niño Inseguro, pero tras realizar un gran esfuerzo, tiene que relajarse y darse ese baño caliente.

A veces necesita olvidarse de todo tras un largo enfrentamiento con su Niño Inseguro. Otras veces puede necesitar relajarse cuando sienta ansiedad o depresión con su preparación, y también hay otras veces en que sencillamente necesitará una pausa de su entrenamiento. Cuando se corre una maratón, descansar lo suficiente es tan importante como el duro entrenamiento. Con la Autopreparación ocurre lo mismo. De vez en cuando debe saber tomarse ese baño caliente mental, olvidarse de todo y disfrutar al no hacer ningún esfuerzo.

La mejor forma para relajarse es gozar del momento. Una de mis historias favoritas de Budismo Zen es aquélla que explica que un monje que caminaba por el sendero de una montaña se encontró con un tigre. Al ver una vid que crecía al lado del sendero, el monje saltó y se agarró a ésta. Sin embargo, la vid empezó a ceder y, en un momento congelado antes de su caída y muerte, el monje se dio cuenta de que una fresa estaba creciendo en la vid. Las últimas palabras del monje antes de su muerte fueron: «¡Qué fresa más bonita! Creo que me la comeré».

Esta historia ilustra el disfrutar y aprovechar al máximo un momento. Sin pensar en el pasado, sin pensar en el futuro, sin abstracciones como la duda, la preocupación o el miedo, sólo ese prístino momento de apreciación de la fresa. A medida que vaya aprendiendo a separarse de su Niño Inseguro, pensará menos y sentirá más. Sabrá relajarse de la lucha, la confrontación y los esfuerzos y apreciará las magníficas fresas que llenan su mundo.

Relajarse necesita práctica y paciencia, sobre todo porque gran parte de su preparación ha requerido un esfuerzo cognitivo para liberarse de las distorsiones de su Niño Inseguro. Aun así, verá que, al mismo tiempo que la influencia del Niño disminuirá, su capacidad para relajarse aumentará y también su confianza. Cuando deje de vivir con miedo crónico, podrá arriesgarse a dejar de combatir y disfrutar de una puesta de sol, de la ópera, de los juegos con sus hijos o de los baños calientes.

¿Cómo puede conseguirlo? Sólo hay una forma. La primera, mediante los esfuerzos de la Autopreparación, ya que podrá aflojar la correa que le impone su Niño y, poco a poco, practicando la apreciación del momento. Deje que sus pensamientos se desvanezcan mientras se ve inmerso en una actividad. Da igual lo que sea, tanto si se trata de podar un árbol o de hacer la cena, lo importante es disfrutar al máximo la experiencia, las sensaciones, las impresiones, los sonidos, los gustos y las vistas del momento. Eso es relajarse y disfrutar. Con el tiempo, sabrá experimentar más su vida aparte de sus pensamientos. La ansiedad y la depresión no existen fuera de su cabeza, así que recuerde tomarse un descanso de vez en cuando y comer una fresa.

¿Está preparado, entrenador?

Eso es todo cuanto tengo que decir. Tiene todo lo que necesita para lograr una vida libre de ansiedad y depresión. Si pudiese pedir un deseo, sería que usted se diese cuenta de lo sencillo que es este método. Los días de su Niño Inseguro están contados mientras usted se prepara para vivir la vida que siempre quiso. Recuerde que la Autopreparación no sólo trata su dolor agudo, sino que le aporta una nueva forma de vida. Al igual que yo me levanto y corro cada mañana, usted puede adoptar la Autopreparación como una forma para mantener el equilibrio, la claridad y la espontaneidad de su vida. Siempre se topará con retos, ansiedades y depresiones; así es la vida. Sin embargo, con la Autopreparación, siempre tendrá una forma para volver al centro equilibrado.

APÉNDICE

Formato del diario de preparación

Diseñar su diario de preparación

No hay ninguna forma que sea correcta o incorrecta para llevar a cabo un diario de preparación. Usted deberá tomar una serie de decisiones para elaborarlo. Ahora sí, le puedo prometer una cosa: sus esfuerzos no serán en vano. La experiencia ha demostrado que el punto de vista, el conocimiento, el apoyo y el respaldo que se obtiene de un diario es muy valioso. Es la mejor forma para ofrecer un modo contínuo, objetivo y sistemático para combatir la ansiedad y la depresión.

Aunque cualquier libreta servirá, le recomiendo que utilice una carpeta con anillas. La ventaja es que puede hacer copias de los ejercicios presentados en el apéndice e insertarlos en el diario según considere (o extraer varias hojas para compararlas). Puede reproducir los ejercicios exactamente como los hemos presentado o, si cree que es apropiado, anotar sólo el resultado de cada ejercicio con una nota de explicación. Sea como sea, debe contar con un medio para evaluar los efectos de su programa de preparación con el tiempo.

Recuerde que se trata de su diario de preparación, así que debe ser personal. Lo puede personalizar como le apetezca para que le motive y le enseñe mejor.

No obstante, le sugiero que el diario contenga estos cuatro apartados:

1. Un apartado para esfuerzos de Autocharla.

2. Un apartado para seguimiento y «llegar hasta el final».

3. Un apartado para incidentes concretos, ideas u observaciones diarias.

4. Un apartado que incluya ejercicios pertinentes reproducidos a partir de este libro.

Apartado 1: Autocharla

Revisión de la Autocharla

Paso nº 1: *Practique el oír sus pensamientos. Pregúntese: «¿lo que estoy escuchando me parece maduro, racional o razonable, o me parece primitivo, excesivo, emocional, infantil e inseguro? ¿Quién está hablando? ¿Yo o mi Niño Inseguro?»*

Paso nº 2: *Cuando note que su Niño Inseguro está hablando, decida no escucharle ¡Sepa dejar de escuchar!*

Paso nº 3: *Una vez haya dejado de escuchar los pensamientos retorcidos de su Niño Inseguro, ¡haga algo más! Dirija su pensamiento hacia una perspectiva más saludable.*

Describa cualquier encuentro que haya tenido con su Niño Inseguro, incluyendo un análisis pormenorizado (paso a paso) de sus esfuerzos:

_____

_____

_____

_____

_____

_____

_____

_____

_____

_____

_____

_____

_____

_____

Apartado 2: llegar hasta el final y buscar las causas

¿Qué expresiones de control están contaminando mi vida?

_____

_____

_____

_____

_____

Pistas, ya sean pasadas o presentes, que expliquen los hábitos de mi Niño Inseguro:

_____

_____

_____

_____

_____

Encontrar mi verdad: reconocer cualquier elección que tengo:

_____

_____

_____

_____

_____

Anotaciones u observaciones adicionales:

_____

_____

_____

_____

_____

Apartado 3: Observaciones diarias

Anotaciones, sentimientos, incidentes y observaciones:

Apartado 4: Ejercicios

En este apartado puede incluir cualquier sugerencia de preparación (o todas) listadas al final de cada capítulo. He dividido estos ejercicios en tres apartados:

1. *Cada día:* Debería hacer un esfuerzo para incluir estos ejercicios como parte de sus entradas de diario.

2. *Cada mes:* Esta categoría se utiliza principalmente para ayudarle a controlar el progreso de la Autopreparación a lo largo del tiempo y debería incluirse periódicamente en su diario.

3. *Según necesite:* Esta categoría queda a su discreción.

Asimismo, ofrecemos una lista de todos los ejercicios y evaluaciones de Autopreparación disponibles. Están listados al final de cada capítulo, tal y como se indica entre paréntesis.

Cada día

1. Experiencias en las que siente que ha perdido el control (Capítulo 6).

2. Trampas de pensamiento (Capítulo 6).

3. Tabla de esfuerzos de seguimiento y llegar hasta el final (Capítulo 10).

Cada mes

1. Evaluar los síntomas depresivos y su gravedad (Capítulo 4).

2. Evaluar los síntomas naturales y destructivos de la ansiedad (Capítulo 5).

3. Evaluar las tendencias de Tortuga (Capítulo 14).

4. Evaluar las tendencias de Camaleón (Capítulo 15).

5. Evaluar las tendencias perfeccionistas (Capítulo 16).

6. Evaluar las tendencias sensibles a la culpabilidad (Capítulo 17).

Según necesite

1. Experiencia de dentro a fuera: Aprender a deshacerse de los pensamientos negativos (Capítulo 1).

2. Determinar si sus luchas tienen su origen en la ansiedad, en la depresión o en una combinación de ambas (Capítulo 3).

3. Necesidad de control natural frente a necesidad de control guiada por la inseguridad. Saber distinguir (Capítulo 7).

4. Diferenciar entre la Autocharla directa, los pensamientos indirectos guiados por la inseguridad y los pensamientos neutros (Capítulo 8).

5. Evaluar las reacciones de la Autocharla (Capítulo 9).

6. Cambiar de emisora (Capítulo 9).

7. Buscar las experiencias desencadenantes (Capítulo 10).

8. Trabajar con pensamiento anticipatorio y pensamiento pasivo (Capítulo 10).

9. Utilizar la charla de ánimo (Capítulo 11).

10. Determinar cómo y por qué se preocupa (Capítulo 12).